Joseph Kessel

de l'Académie française

La passante du Sans-Souci

Gallimard

Joseph Kessel est né à Clara, en Argentine, le 10 février 1898. Son père, juif russe fuyant les persécutions tsaristes, était venu faire ses études de médecine en France, qui devint pour les Kessel la patrie de cœur. Il partit ensuite comme médecin volontaire dans une colonie agricole juive, en Argentine. Ce qui explique la naissance de Joseph Kessel dans le Nouveau Monde.

Sa famille revenue à Paris, Kessel y prépare une licence ès lettres, tout en rêvant de devenir comédien. Mais une occasion s'offre d'entrer au *Journal des débats*, le quotidien le plus vénérable de Paris. On y voyait encore le fauteuil de Chateaubriand. On y écrivait à la plume et on envoyait les articles de l'étranger par lettre.

C'est la guerre, et dès qu'il a dix-huit ans, Kessel abandonne le théâtre — définitivement — et le journalisme — provisoirement — pour s'engager dans l'aviation. Il y trouvera l'inspiration de *L'Equipage*. Le critique Henri Clouard a écrit que Kessel a fondé la littérature de l'avion.

En 1918, Kessel est volontaire pour la Sibérie, où la France envoie un corps expéditionnaire. Il a raconté cette aventure dans *Les Temps sauvages*. Il revint par la Chine et l'Inde, bouclant ainsi son premier tour du monde.

Ensuite, il n'a cessé d'être aux premières loges de l'actualité ; il assiste à la révolte de l'Irlande contre l'Angleterre. Il voit les débuts du sionisme. Vingt ans après, il recevra un visa pour le jeune Etat d'Israël, portant le numéro UN. Il vit les débuts de l'aéropostale avec Mermoz et Saint-Ex. Il suit les derniers trafiquants d'esclaves en mer Rouge avec Henry de Monfreid. Dans l'Allemagne en convulsions il rencontre « un homme vêtu d'un médiocre costume noir, sans élégance, ni puissance, ni charme, un homme quelconque, triste et assez vulgaire ». C'était Hitler.

Après une guerre de 40 qu'il commença dans un régiment de

pionniers, et qu'il termina comme aviateur de la France Libre, Joseph Kessel est revenu à la littérature et au reportage.

Il a été élu à l'Académie française en novembre 1962. Il est mort eh 1979.

A la mémoire de Noël Garnier

PREMIÈRE PARTIE

CHAPITRE PREMIER

Ce samedi, la femme passa devant moi à la même heure environ que les nuits précédentes.

Un petit jour gluant, porteur de brume et de suie, s'annonçait à des signes indéfinissables.

Peut-être dans les autres zones de la ville où la vie suivait une cadence mieux réglée sur la lumière et l'ombre du ciel, percevait-on ce blémissement glacé des avenues et ce frileux silence par lesquels s'épuise la puissance nocturne. Mais au carrefour où je me tenais, les feux des cafés, les lettres ardentes des enseignes qui mouraient et renaissaient sur les façades des établissements de nuit, les trompes des voitures, le mouvement du peuple de plaisir, défendaient Montmartre contre les premiers pas du matin.

Pourtant leur cheminement me fut sensible. Je ne sais pourquoi, le vent coulis, qui venait de la porte entrebâillée et me mordait les jambes depuis deux heures, se fit plus pénétrant. Une très vague cendre crépusculaire trembla sur la vitre embuée à laquelle s'appuyait mon front trop chaud.

— Encore une nuit de tirée, dit Emile, le garçon du *Sans-Souci.*

Il ne changeait pas sa manière d'engager l'entretien. Sa conversation était pauvre et banale. Je m'y

11

serais toutefois soumis, tellement la fatigue et la fièvre supprimaient en moi toute résistance intérieure, si je n'avais vu surgir la femme dans la clarté mouillée que projetaient sur le trottoir les glaces du café.

C'était sa sixième apparition.

Depuis le début de la semaine, cette femme était venue au moment où la nuit s'achevait, avait marché le long du *Sans-Souci*, séparée de moi par la seule épaisseur de la vitre, et avait continué dans la direction de la rue Victor-Massé. Je n'avais jamais pu distinguer son visage qu'elle tenait incliné vers le sol. Son allure avait suffi à fixer mon attention, mon angoisse.

Elle avançait très vite, d'un pas en même temps mécanique et faussement assuré. Des gouttes de pluie tremblaient sur ses beaux cheveux nus. Malgré le mauvais temps, elle tenait son cou largement dégagé hors d'un épais manteau de zibeline. La silhouette était jeune. La fourrure qui l'enveloppait donnait à la chair une sourde richesse. Et pourtant, j'eus, dès la première fois, l'impression singulière d'une parenté entre cette passante et les vieilles pauvresses à moitié démentes que l'on voyait traverser les carrefours illuminés de Montmartre en branlant la tête et parlant à haute voix.

Ce rapprochement absurde tenait-il au caractère hâtif, traqué de la démarche ? A l'aube d'hiver dont les rets enveloppaient le monde ? A la fièvre qui me rongeait cette saison ? Au sentiment de tristesse infinie, d'obligation stupide et fatale par lequel je me voyais, chaque nuit, sans argent, sans désir, sans plaisir, poussé vers Montmartre, échoué au *Sans-Souci* ?

On ne peut dénombrer exactement les raisons qui agissent sur un cerveau travaillé par un mal lent à

12

se déclarer, l'insomnie, l'usure du travail et de la débauche.

Ce dont je suis sûr, c'est que cette femme sans chapeau, sous la bruine de février, qui supportait avec impatience un manteau trop riche, lorsqu'elle m'effleura d'un contact que la vitre arrêtait, fit naître en moi une peur confuse et fascinante.

Spectre sans visage... Corps lancé dans la nuit... Cette chevelure cuivrée, abondante... Ce cou blanc comme une cible... Et cette course de fille aux abois...

J'eus si fortement la sensation d'une fuite et d'une chasse que j'écrasai ma figure contre le transparent obstacle pour surprendre l'homme ou les hommes qui étaient sur sa piste.

Mais la femme s'était depuis longtemps effacée dans la brume jaunie par les réverbères sans que je visse poindre un policier ou un souteneur...

Personne ne menaçait la fugitive. C'est en elle-même que vivait la poursuite.

Il en fut ainsi le lendemain, le surlendemain, les jours suivants.

L'aube s'insinuait difficilement dans les rues de Montmartre. Sans force ni pensée, tantôt transi et tantôt brûlant, j'attendais que le vrai matin parût pour revenir chez moi. Tel était alors le pouvoir de l'habitude qui me tenait, plus efficace que les premières atteintes de la maladie, que l'impécuniosité et même que l'ennui mortel où je macérais au *Sans-Souci*. Mais là seulement j'avais quelque crédit...

Au moment où je touchais le fond de la fatigue, la femme passait. Et le néant de ma servitude était si absolu que ce passage prit très vite pour moi une importance insensée. Sans en avoir clairement conscience, je guettais cette ombre comme une nécessité pour ma rêverie fiévreuse. Mais bien que je fusse intérieurement préparé à son apparition et qu'elle ne variât jamais de quelques minutes, elle me heurta chaque fois comme un choc physique.

Je crois que sa régularité même, l'inclinaison pareille de la tête, le trajet identique, la démarche qui reproduisait strictement celle de la veille, m'inspiraient l'effroi que j'éprouve toujours devant l'automatisme des fous.

La cinquième nuit, cette femme devint pour moi une obsession. Son image me talonna sans miséricorde dans toutes mes occupations de la journée. Le matin suivant elle fut de nouveau devant le *Sans-Souci*.

Je ne pus résister davantage et me précipitai sur ses pas.

Quelle fut ma déception de ne point retrouver sa trace ! Pourtant j'avais fait de mon mieux pour ne pas perdre une seconde en me glissant parmi les consommateurs qui encombraient les banquettes et le comptoir du *Sans-Souci*. Mais c'était l'heure où la presse, dans le café, se trouvait portée à son comble : le froid de l'aube, la fermeture des restaurants de luxe, rabattaient vers le *Sans-Souci* une cohue de misérables et de désœuvrés. Ils freinèrent quelque peu mon élan. Par surcroît de mauvaise chance, un groupe compact sortait, à l'instant où je fus dehors, d'une vaste usine à plaisir située au coin de la rue Victor-Massé. Quand je l'eus dépassé en courant, je ne trouvai, sur le trottoir humide et boueux, que trois filles qui grelottaient sous un réverbère, maquillées de fards violents et d'une expression tragique.

Au soir de ce jour, j'avais une fièvre intense et tenais difficilement debout. Et je crois que même l'intoxication de la vie nocturne n'eût pas réussi à me faire sortir. Mais la passante du *Sans-Souci* me hantait à l'égal d'une idée fixe. Il est probable que si, la veille, elle ne m'avait pas échappé, le courage m'eût fait défaut pour l'aborder. Du moins aurais-je connu ses traits et où elle se rendait. Cette ombre fuyante eût pris pour moi substance humaine. Et peut-être eussé-je été, ainsi, satisfait. Mais sa disparition achevait d'exaspérer le sentiment anxieux que m'inspirait cette femme.

Pour arrêter la grêle interne qui me battait les tempes, il me fallait appréhender le fantôme aux cheveux nus et ruisselants de pluie.

Or je savais bien que si je cédais à la brisure de mes membres, à la faiblesse brûlante de mon corps, si je m'étendais, fût-ce pour un bref répit, je n'aurais plus la force de me relever. Le seul moyen de me trouver à l'instant voulu devant la passante fugitive était de rejoindre, étape par étape, le *Sans-Souci*.

Je ne me rappelle que très confusément cette nuit. J'allais, ainsi qu'un automate, d'un bar à un autre. Les grogs fumants n'arrivaient pas à me réchauffer. L'alcool n'avait aucune prise sur mes nerfs. Ils lui échappaient comme ils m'échappaient à moi-même.

Par moments, une étrange et délicieuse lucidité organisait dans mon esprit, mieux qu'à l'état normal, les idées, les rapports, les images. Puis c'était le vide, l'ombre et, entre les parois crâniennes, le tambourin de la fièvre.

La maladie et l'ivresse ont ceci de commun, quel que soit l'état d'égarement ou d'absence, que toujours surnage le désir majeur. Il n'y a même que lui qui fasse agir, qui coordonne les mouvements mal liés, les pensées fragmentaires, incohérentes.

La vertu de cet invisible aimant me permit seul, j'en suis assuré, de parvenir à pied (je n'avais pas de quoi prendre un taxi) jusqu'au carrefour du *Sans-Souci*. Le temps était encore éloigné de l'apparition que guettait en moi une avidité à laquelle je ne prenais plus de part. Mais je ne pus me résoudre à l'attendre dans le café.

Une peur morbide, incontrôlable, me possédait. Peut-être cette fois-ci la passante se présenterait-elle plus tôt. Peut-être ne pourrais-je pas me lever de la banquette...

Je me postai sur le trottoir en face de la banquette même où j'avais l'habitude de m'asseoir. A travers la vitre je voyais tous les détails du cuir fendillé. Il m'arrivait, par instants, d'y superposer ma propre image.

La pluie tombait sur mes vêtements, les traversait, pénétrait jusqu'à ma peau fébrile. Je n'en souffrais pas. Mais le poids que l'humidité ajoutait à mon manteau, à mon veston, me fit fléchir les genoux. Je dus m'appuyer contre le mur.

Ce fut dans cette attitude que je distinguai, venant de la rue de Douai, la forme qui m'obsédait.

Aujourd'hui je comprends le faible cri qui m'accueillit. Plus par les muscles que par la mémoire je me souviens de l'effort qui me détacha de la devanture du *Sans-Souci.* Pour moi il fut affreusement pénible. Mais il dut, par sa violence même, paraître brutal et menaçant à celle vers qui il me porta.

J'étais trempé. Un feutre déformé et le col relevé de mon manteau dérobaient mes traits. A cette heure, rien, assurément, ne ressemblait davantage à une agression que ma démarche insensée.

Mais comment, alors, en aurais-je pris conscience ? Toute mon activité vitale se trouvait réduite au champ de ce visage que la crainte bouleversait.

Fût-ce à cause d'elle que les yeux gris me parurent si grands, si tendre le front aux reflets roux et si pitoyable, les lèvres pleines de bonté ?

Je sais que je parlai, mais je n'arrive pas à retrouver le plus léger écho de ce que je pus dire. Soudain je vis se modifier l'expression de la figure qui me paraissait plus large et plus haute que celle des humains. Et j'entendis une voix aux inflexions étrangères s'écrier :

— Mais vous n'êtes pas bien ! Mon Dieu ! Et moi qui croyais que vous vouliez me prendre de l'argent ou m'en offrir.

Je me rappelle que je me mis à rire d'un rire qui n'était pas le mien.

— Il faut rentrer tout de suite, dit l'étrangère.

Comme je ne comprenais pas, elle ajouta :

— Je vous accompagne.

Elle arrêta une voiture, me demanda mon adresse.

Je n'avais plus aucune consistance. J'obéis.

De ce trajet il ne me reste qu'une impression : la mollesse et l'humidité d'une épaisse fourrure.

A ma porte, la passante du *Sans-Souci* me quitta.

— Il m'attend, il m'attend, répétait-elle.

CHAPITRE II

Il est peu d'événements dans mon existence que je puisse ranger sous un signe aussi favorable que la maladie dont je fus, pendant quelques jours, la proie inconsciente et totale.

Les accidents ne portent pas en eux-mêmes leur véritable poids. Tout dépend de l'heure à laquelle ils se manifestent. Et si certains, par une coïncidence cruelle, peuvent fausser et rompre une vie attaquée dans sa vigueur, dans la sève de son élan, d'autres, au contraire, lui impriment l'arrêt, lui donnent le repos nécessaire, au moment précis où elle se laissait filer sur une pente mortelle.

Lorsque la passante du *Sans-Souci* me ramena, il me fallait une halte qui me fût imposée en dehors de moi. Il me la fallait, même épuisante, même dangereuse.

Aucun succès ne m'eût été aussi bienfaisant. Un accroissement imprévu de ressources n'aurait fait que m'aider dans l'usure de moi-même où je me dissolvais. Un regain de santé ne m'eût servi qu'à mieux me détruire. La crise qui me terrassa fut un terme à mon envoûtement.

Je me réveillai très faible, la tête et le corps comme vidés de toute substance, mais exorcisé.

Ma femme de ménage m'apprit qu'elle m'avait

trouvé couché tout vêtu et balbutiant des phrases dépourvues de sens. Elle avait couru chez le médecin le plus proche aux environs de la porte d'Orléans. Il s'était montré très inquiet pendant les trente-six heures qu'avait duré mon coma.

Mais je sentis, à je ne sais quelle profonde rumeur, à je ne sais quel battement de source secrète, que le péril était vaincu. L'ennemi sans visage abandonnait la lutte pour laquelle mon corps venait de servir, en même temps, de lice et d'enjeu.

Il ne me restait plus qu'à laisser travailler mes muscles, mes nerfs, mes cellules et mon sang pour défendre et reconquérir leur intégrité.

Bientôt j'entrai en convalescence. Le médecin me permit d'écrire deux ou trois heures par jour.

Je profitai avec joie de cette autorisation. Mon dénuement était extrême. J'avais épuisé tout crédit et ne connaissais que des créanciers. Mais le besoin matériel n'était pas le seul aiguillon au travail. L'excès d'oisiveté, de veulerie, les semaines traînées plutôt que vécues — tout exigeait de moi une compensation spirituelle, un rachat. Je me mis à l'ouvrage avec un sentiment humble et chaud de délivrance.

Il me semblait aussi que je refoulais, que je rejetais le double incompréhensible, odieux, dont j'avais été la victime et qui, par la fatigue, l'alcool, l'habitude, m'avait leurré sur mes exigences véritables. Bref, c'était avec une sorte d'effroi que je me rappelais l'existence qui avait eu le *Sans-Souci* pour port d'attache.

*

Une seule image joignait ce monde aboli, dont je ne voulais plus, à l'univers ordonné, aéré, qui était devenu le mien. Cette image n'avait pas plus de consistance qu'un rêve. Mais, de même qu'un rêve, elle agissait sur moi à l'improviste, sans préparation, avec une force qui mêlait la douceur au désir et à l'angoisse.

Combien de fois, au cours de cette convalescence paisible et studieuse, n'est-elle pas revenue s'interposer entre mon papier et moi, ou effacer les pages du livre que je lisais, la femme aux cheveux et au cou nus qui semblait vouloir échapper à son lourd manteau et à d'invisibles poursuivants !

Chose étrange, ce n'était jamais sous son dernier aspect que je la revoyais. Je me souvenais bien de son regard, de sa bouche secourables. Mais cette expression n'arrivait pas à se fixer en moi. Ce qui me semblait essentiel, réel, c'était précisément le caractère inhumain, spectral, de ses apparitions.

J'avais beau savoir qu'elle le devait à la tension maladive, à la fiévreuse ivresse, au maléfice des brumes et des pluies du matin ; qu'on ne trouve pas dans les rues de Montmartre des fées ou des sorcières — cela ne servait de rien. La forme qui me hantait, qui me gênait, qui me remettait en contact avec des veilles où je ne me reconnaissais plus, avait l'attrait puissant et interdit des visions hallucinatoires, du songe et du délire.

Je ne voulus pas cependant admettre l'intrusion de cette force clandestine, souterraine, dans mon organisme renouvelé. Je me refusai d'avouer qu'il me fallait retrouver un fantôme. Et je mis sur le compte du devoir de la gratitude, de la politesse élémentaire, la recherche à laquelle je me décidai. En un mot je choisis celui des visages de l'étrangère qui m'intéressait le moins pour me permettre de ressaisir l'autre, dont ma raison avait peur.

Or je ne connaissais rien d'elle. Le seul repère que je possédais était son passage de la rue Pigalle.

Aussi, quelle que fût ma répugnance pour la vie nocturne, son peuple, ses lumières et sa marée suspecte, dès que je pus sortir je me rendis au *Sans-Souci*.

Il faisait moins froid. Un timide printemps s'insinuait déjà dans la déroute de l'hiver. Mais les habitués étaient les mêmes : musiciens nègres sans emploi, chasseurs désœuvrés, danseurs en smoking ou en tunique du Caucase, prostituées aux joues creuses, tachées de maquillage brutal, joueurs de belote, épaves de l'alcool et de la cocaïne, chômeurs de boîtes de nuit. Bref, tout le résidu que peut laisser l'industrie du plaisir, je le retrouvai dans ce café placé au confluent des deux rues où les feux des enseignes entrelaçaient leurs plus denses lianes.

L'expression de ces faces ruinées et pour ainsi dire désertes, plus encore que l'air raréfié, m'oppressa. Avant ma maladie, je la trouvais toute naturelle, inconscient de porter sur mes traits les mêmes stigmates. Pour mes yeux frais leur spectacle fut intolérable.

Malgré la bise acide qui soufflait dehors, je me réfugiai sur le trottoir.

Ce fut là que me rejoignit un gros homme d'une cinquantaine d'années habillé très prétentieusement et qui sentait l'ail. Il s'appelait Félix Baïssou.

Parmi les professions qu'il exerçait, il comptait au premier rang celle d'impresario. Cela voulait dire que certains établissements de Montmartre — et des plus besogneux — lui avaient confié la mission de chercher et de rabattre comme danseuses nues les belles filles affamées. Sa vulgarité était effroyable. Je n'ai rien vu d'aussi abject que la bonhomie gluante de son sourire.

A cause de l'accès que j'avais dans quelques rédactions, le personnage se montrait odieusement aimable avec moi. Les rebuffades, voire les grossièretés, ne parvenaient pas à entamer son zèle.

Il me tendit la main, feignit de ne pas remarquer que je gardais la mienne enfouie dans la poche de mon manteau et acheva son geste en me prenant le bras. Je me dégageai sans ménagement.

— Toujours aussi nerveux, mon bon, je vois, dit-il alors avec jovialité.

Ses petits yeux brillants couraient sous ses paupières grasses.

— Il faut ça, il faut ça, poursuivit-il, quand on travaille de la tête.

J'allais prier Baïssou de me laisser seul, mais il ajouta :

— Et alors, ça marche les amours avec la Elsa Wiener ? Hé oui... la pépé en zibeline que vous avez levée le jour où vous avez disparu d'ici !

L'envie de chasser l'impresario ne m'effleura même plus. Tout mon effort se réduisit à ne pas montrer quelle curiosité et quelle inquiétude passionnées son propos avait soulevées en moi.

Que mes gestes fussent connus de Baïssou, cela ne m'étonnait point. Je savais que les quelques rues et les quelques places qui, la nuit, composaient Montmartre, étaient un village minuscule. Plusieurs polices — outre l'officielle — en surveillaient la population. Celle des chasseurs, celle des filles, celle des marchands de drogue, celle des oisifs. Pendant des mois j'avais, dans ce village, dépensé de l'argent, couru des aventures. Il en eût fallu beaucoup moins pour faire repérer chacune de mes démarches. Et Baïssou se trouvait en liaison avec tous les indicateurs bénévoles.

Il était donc tout naturel qu'il fût renseigné sur mon compte.

Mais que la passante spectrale appartînt à son champ d'observation, je me refusai, dans le premier

22

instant, à le croire. Je ne pouvais inscrire d'un seul coup la forme qui avait donné à mon imagination une si riche et si trouble pâture, dans le cercle misérable et damné, dont, à l'ordinaire, s'occupait Félix Baïssou.

Celui-ci ne montra pas la satisfaction qu'il ressentait de m'avoir retenu. Mais je l'en devinais si rempli, si bouffi, que je mesurai, en cette seconde, et au seul fait de persister à l'écouter, toute l'influence exercée sur moi par l'étrangère.

On est toujours châtié d'accepter des renseignements de la part de gens comme Baïssou. Les charmes mystérieux, l'auréole de pluie glacée sur de beaux cheveux de cuivre, la chair émouvante du cou nu, l'attrait de la fuite — tout se trouva soudain souillé, dépouillé bassement, transposé à la mesure la plus vulgaire.

— On se disait même au *Sans-Souci* que vous aviez une belle chance de « faire » la Elsa, expliqua l'impresario. C'est qu'on ne lui connaît personne. Pas plus au *Rajah* qu'à son hôtel. Et j'y ai quelqu'un, moi, et de sûr encore, au *Monnier*.

Le *Rajah*, restaurant de nuit parmi les plus achalandés... le *Monnier*, hôtel assez borgne dans la rue du même nom... ces notions passèrent dans mon esprit, abstraites, desséchantes...

Mon inconnue était une entraîneuse. Le périple classique de l'établissement où elle travaillait au logis tout proche — voilà la raison trop simple de son passage au carrefour. Je continuai d'écouter Baïssou.

Jamais je ne l'avais toléré près de moi aussi longtemps. Alors il s'enhardit, et, jouant de son sourire le plus doucereux, le plus huilé, me proposa :

— Vous savez que je n'ai pas encore réussi à lui faire causer par quelqu'un de sérieux. Eh bien, si l'occasion s'en présentait, vous pourriez peut-être lui en glisser deux mots. Ça rendrait service à tout le monde.

J'eus un mouvement de recul. Il acheva très rapidement :

— Hé ! Je suis comme vous, moi, je m'occupe d'art. On travaille dans la même partie.

— Allez au diable ! criai-je.

Je m'en allai très vite.

Place Notre-Dame-de-Lorette je pris un taxi et me fis conduire chez moi. Je n'avais qu'un désir : oublier Baïssou, la passante et ce marché de chair humaine.

*

Pourtant le lendemain, au début de l'après-midi, je passai le seuil de l'hôtel *Monnier*...

J'avais déjeuné dans une brasserie de la place Clichy avec un camarade. C'était un pilote de ligne, simple, franc, d'un cœur invulnérable à la vanité et au doute. Sa présence, sa conversation me firent un bien infini.

Durant tout le repas, elles étendirent autour de moi une sorte de zone protectrice où n'avaient accès que l'amitié, l'équilibre physique et spirituel, le sens courageux de la vie, la tranquille dignité de la mort. Je me sentis si bien délivré de mon obsession que j'eus l'imprudence d'en parler à mon camarade.

— On a des idées de fou avec la fièvre, me dit-il en riant paisiblement. Ainsi, un jour qu'à Dakar j'avais eu une insolation, j'ai pris une blanchisseuse noire pour une reine d'Arabie.

Tandis qu'il faisait un de ces récits que j'aimais tant à l'ordinaire, j'approuvais machinalement de la tête. Mais, au fond de moi, l'adhésion manquait. Mon compagnon avait une simplicité sacrée. Elle ne pouvait pas être la mienne. De ce décalage naquit une sorte d'insatisfaction, de malaise irrité, un besoin de contredire qui, impuissants à se manifester devant une âme aussi limpide, me livrèrent, lorsque s'en alla le pilote, à un débat confus.

Fallait-il croire Baïssou aveuglément ? Etait-il possible que je me fusse aussi grossièrement trompé ? Si la maladie m'empêchait d'être lucide, m'enlevait-elle toute intuition ?

Déjà la veille, j'avais eu un sentiment de vanité meurtrie. Fallait-il admettre vraiment que la chaleur de la fièvre me faisait voir, à moi aussi, une créature énigmatique et fatale dans une pauvre fille ?

« Je vais aller chez elle, décidai-je soudain. Cela éclaircira tout. Je serai guéri une bonne fois. Peut-être si je ne me trouvais pas si près... »

Je n'achevai pas de me donner cette pitoyable excuse. Il me parut trop évident que, fussé-je en cet instant à l'autre bout de Paris, je me serais dirigé tout de même vers la rue Henri-Monnier.

Je m'y rendis à pied et, bien que le chemin le plus court passât devant le *Sans-Souci*, je fis un assez large détour pour éviter le carrefour de la rue Pigalle et de la rue de Douai. Je pensais échapper ainsi à la confrontation pénible de la vivante lumière avec des lieux qui, pour moi, étaient emplis d'artifice nocturne et de tristesse.

L'inutilité de cet effort m'apparut dès que j'eus pénétré dans le couloir de l'hôtel où logeait Elsa Wiener.

Certes j'avais passé plus d'un jour dans des abris passagers pareils à celui-là. Mais j'y étais venu à l'aube, anesthésié par l'alcool, conduit par quelque femme qui, à cet instant, bornait mon horizon. Un désir aussi élémentaire que puissant et fugitif nous liait tous deux. Puis m'accablait un animal sommeil. Je n'avais ni le temps, ni le goût, ni la liberté des sens et de l'esprit nécessaire pour voir, pour juger.

Comment n'avais-je pas été chassé par cette odeur à la fois doucereuse et fétide qui soudain me souleva le cœur ? Comment avais-je pu supporter ce tapis rougeâtre, les parois maculées, l'atmosphère de cave humide et surchauffée que je reconnus vaguement, ainsi qu'un reflet de mauvais rêve ? Et ces relents de cuisine ! Ces bruits de vaisselle, d'ustensiles à toilette remués grossièrement !

J'hésitai au milieu du corridor. Ce n'est point que ma décision fût entamée. Il me fallait aller jusqu'au bout. Mais j'avais besoin de m'habituer physiquement.

Un garçon en savates et aux bretelles lâches, mal peigné, mal réveillé, la figure ingrate couverte de boutons, sortit du bureau. J'eus le temps d'apercevoir une femme maigre et flasque, la patronne sans doute, qui faisait du tricot sur un fauteuil rose.

— Vous désirez ? demanda le garçon.

Je lui dis de m'indiquer le numéro de la chambre qu'occupait Madame Wiener. Il demeura quelques secondes sans répondre. Son silence me fit éprouver une déception mêlée à une joie singulière. Baïssou avait menti ou s'était trompé. Ma passante ne pouvait habiter là.

— C'est qu'elle ne reçoit jamais de visites... alors vous comprenez...

Il m'examina d'un air soupçonneux. Mon aspect dut lever ses scrupules car il ajouta :

— Enfin... je n'ai pas d'ordres... Alors ça va... Allez au 38. Au quatrième, à droite et au fond.

Arrivé au bout de l'obscur passage qui sentait le moisi et le parfum bon marché, je reconnus, sur une porte sans couleur, le numéro indiqué par le garçon. Je m'arrêtais un instant, prêtai l'oreille.

La fragile et mince cloison de bois ne laissait filtrer nul bruit si ce n'était un frémissement léger, pareil à la course d'une souris. Ce silence formait une sorte d'oasis sonore parmi les voix indiscrètes et vulgaires, l'hystérie des rires qui peuplaient l'hôtel.

Je frappai très doucement contre la porte.

Aucune réponse ne me parvint. Je m'apprêtais à renouveler mon heurt un peu plus fort, lorsque je vis le loquet tourner d'un mouvement presque insensible. Puis un léger intervalle se creusa dans la surface close que j'avais eue devant moi.

Instinctivement, au creux de l'ouverture, je cherchai des yeux un visage qui fût à peu près à la hauteur du mien. Je ne trouvai que le vide et pensai :

— Elle se dissimule derrière la porte.

A ce moment mon regard fut comme aimanté beaucoup plus bas. Un peu en dessous du loquet une grosse tête brune et bouclée s'insérait dans la fente. Un enfant me contemplait avec fixité.

CHAPITRE III

Je consultai machinalement le numéro de la chambre. Une lumière oblique l'éclairait maintenant : trente-huit. Je ne m'étais pas trompé.

Mes yeux revinrent sur le petit garçon. Il comprit que j'allais lui poser une question, leva faiblement la main qui ne tenait pas la porte et murmura d'un souffle à peine perceptible :

— Attention. Elle dort.

Il s'était exprimé en allemand. Si je ne parle pas avec facilité cette langue, je l'entends assez pour soutenir une conversation courante. Aussi, imitant le chuchotement de l'enfant, pus-je lui demander si Madame Elsa Wiener habitait bien cette pièce.

Il fit un signe de tête affirmatif, mais, après une seconde de réflexion, corrigea :

— Non, l'autre... derrière. Celle-là, c'est la mienne.

Il se tut.

De mon côté je ne savais que dire à cet étrange gardien, silencieux et grave.

— Vous êtes français ? demanda-t-il soudain.

— Tu dois bien l'entendre, dis-je, comme si je m'adressais à un égal en âge et pris, malgré moi, au sérieux du ton.

— Venez alors... sur la pointe des pieds, fit le petit garçon.

J'obéis, sans savoir exactement ce que je faisais. Depuis l'instant où j'avais aperçu, au lieu de la figure d'Elsa Wiener, cette tête puérile et crépue, j'étais sous l'influence d'une stupeur qui me privait de toute impulsion.

Je ne repris une notion de la réalité qu'en pénétrant dans la chambre n° 38.

Elle n'avait de surprenant que sa propreté et son ordre. Pour le reste — papier criard, lavabo mal dissimulé derrière un paravent flétri — elle ressemblait à toutes celles que j'avais connues dans les hôtels de Montmartre.

Un petit divan était placé le long du mur. D'un signe le garçon m'invita à m'y asseoir.

Nous demeurâmes quelques secondes à nous examiner sans desserrer les lèvres. Je ne sais pas l'impression que je fis à l'enfant, mais lui, au premier abord, ne me plut guère.

Je suis trop sensible, chez les êtres qui commencent de vivre, à la beauté, à la hardiesse, à un élan végétal pour n'avoir pas éprouvé un recul, un refus intérieur en présence du petit Allemand de la rue Henri-Monnier.

C'était une manière de gnome. Il avait les épaules rondes, le cou bref. Son pyjama de flanelle grise n'arrivait pas à cacher la maigreur du torse, le développement excessif du bassin. Il marchait les jambes écartées et légèrement repliées. Ses cheveux trop drus, trop annelés, lui arrivaient presque au ras des sourcils.

Il les releva d'un geste dont il avait visiblement l'habitude quand il réfléchissait. Aussitôt l'aspect de son visage changea au point que je ne fis plus attention au corps disgracié, au maintien rigide, à la tête lourde et sans fraîcheur.

De bas et rongé qu'il était jusque-là, le front avait pris un ample et noble volume. Lisse, blanc, ferme, il semblait le foyer même d'une existence prématurément mûrie. Autour de lui, les traits se distribuaient dans une lumière et une signification nouvelles. Les joues grisâtres, les paupières aux longs cils, la bouche peureuse, les yeux très noirs et très attentifs, tout se fondit dans une expression de mélancolie spirituelle, de studieuse tendresse qui m'émut profondément.

Je demandai malgré moi, mais sur le timbre de confidence que le garçon m'avait imposé :

— Tu es plus vieux que tu ne parais, n'est-ce pas ?

Bien que j'eusse étouffé jusqu'aux limites possibles le bruit de ma voix, il jeta un regard chargé d'inquiétude vers la porte qui nous séparait de la chambre voisine. N'entendant rien qui pût l'alarmer, il murmura :

— Vous avez raison. J'ai dépassé douze ans l'été dernier.

Il vit que je réprimais mal ma surprise et le marqua par un sourire fait de honte, de résignation et de douceur.

— Je sais bien que je n'ai pas l'air d'en avoir même huit, dit-il, à cause de ma taille. Et, bien que Madame Elsa assure le contraire, je ne crois pas que je grandirai comme les autres. Ce n'est pas ma faute, vous savez, monsieur.

Le garçon fit un effort pour maîtriser le tremblement de ses lèvres, mais ne put réduire sur-le-champ son sourire forcé.

— Ce n'est rien, ça n'a pas d'importance, dis-je avec le plus de sympathie que je pus mettre dans mon chuchotement.

— Naturellement, naturellement, déclara le garçon en hochant la tête comme pour m'encourager. J'ai bien assez de chance sans cela.

Par un retournement singulier je n'éprouvais plus aucun malaise auprès du petit Allemand. Autant j'aime et j'admire la grâce, la cruauté des enfants, autant elles me gênent, me raidissent dans mes rapports avec eux. Je suis trop loin de leurs vertus et ne sais comment les joindre. Là, au contraire, j'avais en face de moi une misère physique et une maturité qui ne relevaient plus de l'âge puéril. Il semblait même qu'elles eussent fait sauter le stade de l'adolescence à celui qui les portait inscrites dans sa chair, sur son front.

Avec pitié, mais avec simplicité, c'est à un homme que j'eus l'impression de m'adresser.

Sur le divan, traînaient un livre, un cahier d'écolier. Je feuilletai l'un et l'autre. Le volume contenait des vers de Henri Heine. Dans le cahier quelques poèmes étaient traduits en français avec une justesse et une sensibilité surprenantes. Je le dis à mon interlocuteur.

— J'ai encore besoin d'un dictionnaire, soupira-t-il. Mais bientôt je veux m'en passer. Vous aimez Heine, je vois.

— Plus que tout autre poète peut-être.

A l'illumination de ses yeux, je vis que, d'un seul coup, j'avais gagné sa confiance entière.

Il s'assit près de moi, l'air heureux. Un reflet de son enfance trop tôt ravie lui baigna le visage.

Nous parlions comme de vieux camarades lorsque s'ouvrit la porte de communication.

CHAPITRE IV

La stupeur que j'avais éprouvée en découvrant l'enfant estropié, la compassion qu'il m'avait inspirée et enfin notre singulière entente avaient eu pour effet de me dépayser complètement. Je ne me sentais plus à Montmartre, ni même à Paris. Je n'attendais plus la passante du *Sans-Souci*. J'avais oublié jusqu'à la raison de ma présence dans l'hôtel *Monnier*.

On eût dit que j'y étais venu vraiment pour m'entretenir à voix étouffée de poésie allemande avec un petit infirme qui ne m'avait même pas appris son nom.

Et je me rappelle très bien que ce ne fut pas la figure d'Elsa Wiener, ni son personnage ni son attitude à mon égard qui m'intéressèrent tout d'abord. Mais les regards qu'elle échangea avec l'enfant.

Je n'ai jamais vu chez des êtres aussi différents par l'âge, la chair, la condition, une expression aussi identique dans les yeux. On y lisait la même inquiétude, la même sollicitude passionnées.

Il semblait qu'un pacte pathétique de protection mutuelle les liât comme un tourment et comme un bienfait. Des deux, c'était peut-être l'enfant qui le révélait avec le plus d'intensité.

Du moins j'en eus l'impression parce qu'un tel souci paraissait plus singulier et plus émouvant chez un petit infirme. Il parla le premier :

— Nous t'avons réveillée ! s'écria-t-il. Oh ! comme je suis malheureux ! Je n'aurais pas dû commencer avec Heine. J'oublie tout alors.

Sa voix que j'entendais pour la première fois dans son registre naturel était, à son image, celle d'un adulte, non par le timbre qui conservait le son cristallin et mal équilibré de l'enfance, mais par les inflexions.

— Non, non, mon chéri, il était l'heure de me lever, dit Elsa Wiener. J'avais assez dormi. Tu n'y es pour rien.

Le contraste entre les deux voix était saisissant. Si grêle de timbre et si mûre d'intonation chez l'enfant, et, chez Elsa Wiener, de tonalité si grave et, par l'expression, si enfantine !

— Je ne savais pas que Max eût des amis à Paris, dit-elle en un français assez pur, avec gentillesse.

Mais cette amabilité, pas plus que le demi-sourire d'Elsa Wiener, ne parvenait à masquer une surprise assez anxieuse. Visiblement elle n'avait gardé aucun souvenir de l'homme délirant et transi qu'elle avait secouru quelques semaines plus tôt. Et comment eût-elle pu établir entre mes traits d'alors, déformés par l'usure et la nuit, un lien quelconque avec la visite que je lui faisais ?

Et moi, l'aurais-je reconnue ? Je n'eus pas le loisir d'en juger, car il me fallait répondre.

— Si je me suis permis de venir, madame, dis-je, ce n'est pas pour votre fils.

A ce mot, bien qu'il fût prononcé en français, l'enfant eut tout le visage traversé d'un tressaillement. Etait-ce de la révolte, de la souffrance ou du regret ? Je ne pus le discerner. La main d'Elsa

Wiener posée sur la tête crépue apaisa aussitôt son agitation.

— Non, dit-elle avec une douceur très grande. Max n'est pas mon fils.

Elle caressa les cheveux de l'infirme comme pour montrer que sa tendresse se souciait peu du titre de celui qui en faisait l'objet. L'enfant murmura :

— Nous nous sommes choisis.

Je crus qu'Elsa Wiener allait battre des mains tellement sa figure devint puérile et si naïf fut son orgueil.

— Vous voyez comme il dit des choses extraordinaires, s'écria-t-elle. Il m'étonne chaque jour. Ah ! si vous saviez !

Cette explication lui rappela que j'étais un inconnu qui n'avait pas encore donné le motif de sa présence chez elle. Ses traits se fermèrent avec autant de rapidité qu'ils s'étaient éclairés. (Leur jeu mobile à l'extrême ne devait pas cesser de me surprendre.)

Je repris mon explication.

— Ce n'est pas pour Max qu'était ma visite. Elle avait comme objet de vous remercier. Vous rappelez-vous ce malade que vous avez ramené en voiture chez lui, un matin de février ?

— Vous ! C'était vous ! s'écria Elsa Wiener. Comme je suis contente ! Croyez-moi, j'avais un grand remords de vous laisser avec tant de fièvre. Mais Max toujours guette mon retour. Il ne peut s'endormir sans moi. Il serait mort d'inquiétude. Il est si nerveux.

Je me souvins alors des mots que, jusque-là, j'avais attribués au délire : « Il m'attend, il m'attend. »

Cependant Elsa Wiener continuait :

— Ensuite, j'aurais voulu prendre de vos nouvelles. Mais comment ? J'avais oublié l'adresse que vous aviez donnée au chauffeur. Et je ne connais pas bien Paris. Et c'était si loin que je me croyais dans une autre ville, si calme...

— En effet, dis-je, le parc Montsouris, vous n'avez jamais dû y aller.

— Cela serait bien pour Max d'avoir un grand jardin pareil, remarqua pensivement Elsa Wiener.

— Quand vous voudrez bien me le confier, je l'y mènerai. Je marche souvent dans le parc pour réfléchir avant de travailler.

— Que vous êtes gentil !

Elsa Wiener n'acheva pas le mouvement qui l'avait portée vers moi. Une inquiétude singulière, une méfiance d'animal traqué, modifièrent encore une fois et entièrement son expression insouciante et légère.

— Comment m'avez-vous retrouvée ? demanda-t-elle impérieusement.

Je lui rapportai alors ma rencontre avec Félix Baïssou et lui fis la description du personnage.

— Ah ! oui ! dit-elle, je sais, je sais...

Une grimace de dégoût contracta sa figure, mais en même temps je sentis chez elle un profond apaisement. Sa poitrine laissa échapper un soupir heureux. La personnalité de mon informateur, quelque répugnante qu'elle lui parût, la rassurait.

— Cela te plairait, Max, demanda-t-elle, de te promener avec monsieur ?

Je lui dis mon nom qu'elle répéta amicalement.

— Il y a beaucoup d'air dans son parc, reprit-elle, de grandes pelouses, de grands arbres. Veux-tu ?

— Oh ! oui, dit l'enfant avec ferveur. Nous parlerons de tous les livres. Tu sais... il est écrivain.

— Et toi tu veux l'être, s'écria Elsa Wiener. C'est merveilleux. Vous êtes des confrères. De très honorés confrères.

La phrase lui plut si fort qu'elle la répéta plusieurs fois en riant. Son rire était voilé, un peu sensuel.

Et soudain je me rendis compte que c'était une femme véritable qui se tenait assise près de moi, et non point une créature appartenant à un domaine fantastique. Une femme belle, au cou frais, au nez un peu bref mais charmant. Ses yeux marron et sa large bouche exprimaient la bonté et l'humeur facile. Pour son âge, il était malaisé de le fixer avec certitude. La peau était lisse, l'éclat du regard, la vivacité des traits et des mouvements semblaient ceux d'une très jeune femme. Mais il y avait dans la plénitude un peu molle de la chair un aspect de pulpe arrivée à son épanouissement, un caractère fragile, menacé, émouvant, que, seule, à l'ordinaire, donne une maturité toute proche.

Sans que je l'eusse voulu, mon regard glissa vers la gorge qu'un peignoir assez lâche découvrait légèrement. Les seins étaient pleins et admirablement formés.

Elsa Wiener surprit, j'en suis sûr, ce contrôle que je faisais de son corps et le reflet, sur mon visage, du désir qu'il suscita. Elle n'eut pas un geste de pudeur ni de provocation. Ses traits ne montrèrent ni déplaisir ni encouragement. Elle sourit avec beaucoup de simplicité. Ce sourire acheva de disperser, de dissiper les ombres hallucinatoires qui étaient issues de mon imagination déréglée et qui m'avaient suivi jusqu'au seuil de l'hôtel *Monnier*.

Elsa Wiener naissait pour moi à une existence réelle. Elle n'était plus un fantôme de l'aube, une fugitive par elle-même poursuivie. Elle n'était pas davantage l'entraîneuse équivoque et lamentable dont j'avais, la veille, avec accablement, cru découvrir les habitudes. Elsa Wiener prenait pied sur une terre humaine, avec ses armes et ses faiblesses.

Par un revirement subit et parce que, si longtemps, cette femme m'avait paru inaccessible, j'eus l'impression que son visage était pour moi plus proche et plus familier que tant d'autres que je connaissais depuis longtemps. J'eus envie de la voir vivre, de lui rendre les instants agréables et faciles.

Ce fut à cette impulsion que j'obéis en disant :

— Où déjeunez-vous ? Je vous gêne peut-être ?

— Pas du tout, assura Elsa Wiener. Max a déjà fait sa cuisine à midi. Et moi je ne mange qu'une fois par jour... le soir. Je dois absolument conserver ma ligne.

Elle passa ses mains sur ses flancs charnus, sur la naissance des cuisses.

— Alors, demandai-je, voulez-vous me faire le plaisir de prendre du thé avec moi ? C'est déjà l'heure.

L'après-midi, en effet, approchait de sa fin.

Elsa Wiener me regarda avec un ravissement incompréhensible et murmura :

— Oh ! dites encore, je vous en prie.

— Quoi donc ? demandai-je sans comprendre.

— Ce que vous venez de me proposer.

— Mais pourquoi ?

— Dites. Dites vite.

Je répétai mon invitation.

— Merci, s'écria Elsa Wiener. Personne au monde ne peut savoir à quel point j'avais envie d'entendre une phrase comme celle-ci. Quand il faut, toutes les nuits...

Elle s'interrompit et jeta un coup d'œil effrayé sur Max. Il sembla ne pas avoir remarqué ni cette gratitude insolite ni cet effroi.

— C'est très bien pour vous de vous distraire un peu, dit-il de ce ton sérieux qui, presque toujours, était le sien. Il faut absolument aller.

Il surprit une hésitation chez elle et poursuivit :

— Je ne m'ennuierai pas. Ne craignez rien. Il faut

que je travaille, que je travaille sans arrêt, vous le savez. Je veux, avant la fin de l'année, écrire le français mieux que l'allemand. Je le dois.

Une énergie sauvage, hors de mesure avec son corps, lui raidit les épaules.

— Alors je vais m'habiller, dit Elsa Wiener avec une joie qui la rajeunit prodigieusement.

Un silence suivit son départ. Pour la première fois j'éprouvais de la gêne auprès de l'enfant. Mais cette gêne, je ne la devais qu'à moi-même. N'avais-je pas oublié l'existence de Max ? Et négligé d'étendre jusqu'à lui une offre que son âge devait lui rendre désirable plus qu'à tout autre.

Je le privais d'une présence que je devinais pour lui indispensable. Je le rejetais dans l'isolement des infirmes.

— Max, dis-je avec une timidité que j'essayais en vain de cacher sous une autorité feinte, tu vas, bien sûr, laisser tes livres et venir avec nous.

— Je vous remercie vraiment, répliqua-t-il. Vous êtes très bon. Mais justement à cause de cela, il faut que vous restiez seul avec elle. Devant moi, elle a honte de parler. Je suis trop petit. Et elle a besoin de parler. Et elle n'a personne, personne ici. Pas une connaissance. Il lui faut un ami comme vous.

Le regard de l'enfant était presque sévère. Je ne sus que répondre.

Heureusement Elsa Wiener revint. Des fards très légers, une écharpe de renards bleus adoucissaient, spiritualisaient son visage. Elle embrassa l'infirme, puis me prit par le bras.

— A bientôt, Max, dis-je.

Il se tenait immobile comme s'il n'avait pas entendu. Pourtant elle répéta doucement :

— A bientôt.

J'ouvrais la porte lorsqu'il cria :

— Une seconde.

Sa voix avait quelque chose de déchirant et de sauvage. Elsa Wiener courut à lui. Mais les traits de l'enfant demeurèrent calmes, tandis qu'il murmurait des phrases rapides à l'oreille qu'il touchait de sa bouche.

Quand Elsa Wiener me rejoignit, il y avait sur sa figure une gravité et une tension que je ne lui avais pas vues encore. Elle ne songea pas à reprendre mon bras.

CHAPITRE V

Nous descendîmes très lentement dans la direction de la rue Pigalle. Elsa semblait lasse et sans goût pour rien. Je lui proposai deux ou trois pâtisseries réputées dans les environs de la Madeleine, sous les arcades de la rue de Rivoli. Elle secoua la tête, refusant. On eût dit qu'elle n'avait plus la force de parler. La seule phrase qu'elle prononça fut pour me prier de l'appeler par son petit nom. Je reconnus là ce besoin de simplicité qui me plaisait tant chez elle. Mais je sentis bien que, loin d'aider à établir entre nous les rapports que j'avais espérés un instant, cette familiarité rapide et franche, cette camaraderie ne pouvaient que leur servir d'obstacles. Et c'était sans doute le dessein d'Elsa.

Nous arrivâmes au carrefour où se trouvait une station de taxis. Je voulus en prendre un, disant :

— Nous nous déciderons en voiture. De toute façon il faut quitter le quartier.

Elsa arrêta mon geste.

— Pourquoi ? demanda-t-elle. A quoi bon ?

L'amertume désespérée de sa voix me laissa sans réponse. Quelques instants plus tôt Elsa avait paru si joyeuse de mon invitation et sa joie dépassait de beaucoup le plaisir qu'elle en pouvait normalement attendre. A quoi tenait cette chute subite ? Quel charme desséchant lui avait donc jeté le petit infirme ?

Pendant que je réfléchissais, Elsa me toucha légèrement l'épaule et dit :

— Il y a un café en face. Il a l'air calme. Pourquoi n'irions-nous pas ?

Elle me montrait le *Sans-Souci.*

J'hésitai, me souvenant des heures mornes, épuisantes, destructrices que j'avais passées en ce lieu. Il me répugnait d'y mener, pour notre première sortie commune, une femme chez laquelle me séduisait surtout la santé, la fraîcheur d'esprit. Je présageais mal de relations commencées sous le signe de mes plus funestes nuits.

Elsa perçut ma résistance et je la sentis soudain armée d'une obstination qui caractérise les femmes au cœur enfantin.

— Allons au *Sans-Souci,* je vous en prie, insista-t-elle. Le nom me plaît depuis longtemps et je n'y suis jamais entrée. Et puis, je me souviens, c'est bien devant lui que vous m'avez fait si peur... Oh ! vous sembliez un vrai apache.

Le mot démodé prononcé avec une extrême gentillesse, le rire brusquement retrouvé qui l'accompagna, ne furent pas les motifs véritables de ma soumission au désir d'Elsa. C'est à une ombre que je l'accordai, tragique, dont les cheveux nus étaient trempés de pluie.

Quand on a la sensation que se referme un cercle inévitable, la volonté se rend.

Sa futile victoire avait suffi pour chasser du visage d'Elsa tout signe de tristesse et d'ennui.

— Vous voyez que j'avais raison, cria-t-elle lorsque nous nous fûmes assis dans l'arrière-salle. Il n'y a personne. C'est tout à fait intime.

Un disque de phonographe tournait sur le comptoir invisible. L'air était vulgaire, sentimental, mais assez émouvant dans la demi-obscurité de la salle vide. Elsa se mit à chantonner doucement.

Sa voix, grave à l'accoutumée, se fit alors légère et fluide. Sa justesse, son habileté me ravirent. J'exprimai à Elsa ma surprise et mon plaisir.

— Mais c'est mon métier, dit-elle en riant. Vous ne saviez pas ? Je pensais que peut-être mon nom...

Elle fit une très courte pause comme pour aider ma mémoire, répéta à deux reprises en détachant les syllabes :

— El-sa Wie-ner... El-sa Wie-ner.

— Attendez, je cherche, dis-je avec conviction.

— Oh ! ne vous donnez pas une peine inutile et ne vous forcez pas aux cérémonies avec moi, reprit-elle très gentiment. Vous pouvez sans crime ignorer qui je suis. Je n'ai jamais prétendu à la gloire internationale. Mais, en Allemagne, j'avais, pour l'opérette, une assez bonne réputation.

Elle se rapprocha un peu de moi sur la banquette et dans ce mouvement je reconnus le besoin de confidence enfin libéré, que Max avait pressenti.

— C'est assez naturel, poursuivit Elsa. Je chante et je danse depuis que je me souviens d'exister. Mes parents étaient acteurs de tournées. Les pauvres n'ont pas eu de chance. Ils ne connurent jamais le succès. Mais ils m'apprirent tout ce qu'ils savaient. Comme j'ai commencé toute petite et que mon physique me servait, j'ai mieux réussi. Dieu ! que j'aimais la scène ! Que la vie était gaie !

Elle pressa son front entre ses mains. Les images qui l'assaillaient étaient sans doute trop nombreuses, trop éclatantes.

— C'est que j'ai débuté avant la guerre, s'écriat-elle. J'avais seize ans à peine mais je savais profiter de l'existence, je vous assure, et de quelle existence ! Plus jamais, pour personne, elle ne recommencera. Si vous pouviez imaginer Berlin, Vienne alors ! La galanterie... les uniformes... les réceptions... les bals...

Un éclat mystérieux, une adolescence ressuscitée fleurirent dans le regard, sur les lèvres d'Elsa.

Elle se tut, suivant pour elle seule le flux enchanté de ses souvenirs.

Le bruit des tasses et de la théière remuées par un garçon maussade la tirèrent de sa rêverie.

— Apportez des gâteaux, demanda Elsa.

— Nous n'avons que des croissants, des madeleines et des brioches, répondit le serveur.

— Je veux des gâteaux.

Le garçon haussa les épaules. Il attendait avec impatience que le service de jour fût terminé.

— Ce n'est pas une pâtisserie ici, grommela-t-il en tournant le dos.

Les yeux d'Elsa se flétrirent d'un seul coup. Elle murmura :

— J'aurais dû vous écouter, aller dans un endroit élégant, où les domestiques sont polis.

Je lui dis qu'il était encore temps de changer de lieu et citai quelques établissements où l'on pouvait danser.

Elle m'écouta distraitement.

— Oui... oui... Avec plaisir, une autre fois, dit-elle. Aujourd'hui j'ai tant envie de parler. Il y a si longtemps, si longtemps que cela ne m'est pas arrivé. Et mes amis qui me plaisantaient sur mon bavardage !

Elsa but une gorgée de thé puis rit doucement.

— Alors, puisque je tiens un jeune homme sympathique, dit-elle, je ne vais pas le laisser échapper ainsi. Même si je l'ennuie. N'est-il pas vrai ?

Je protestai de la façon la plus vive et la plus sincère. Tout ce qui avait trait à Elsa m'intéressait. Les circonstances de notre rencontre, sa personnalité, tantôt puérile et tantôt secrète, sa beauté, cette étrange solitude partagée avec un petit infirme, un puissant appétit de vivre volontairement étouffé : comment tant de bizarreries ne m'eussent-elles pas tenu en éveil et prêt à écouter des heures entières celle qui les pouvait éclaircir? Sans compter qu'Elsa me plaisait beaucoup et que le seul mouvement de ses lèvres douces et renflées, le jeu confiant de ses traits étaient de nature à me faire oublier le temps.

Je ne pouvais dire à Elsa tous ces motifs, mais je tâchai de les lui faire entendre dans la chaleur de ma voix. Elle en parut touchée et murmura :

— Comme vous êtes bon avec moi.

A peine eut-elle achevé ces mots qu'un soupçon terrifié traversa ses yeux.

— Pour quelle raison? dit-elle sans s'adresser à personne de visible.

Soudain, elle encadra mon visage de ses deux mains, le serra convulsivement entre ses paumes pleines, tendres, et, le rapprochant de sa figure, le scruta avec une attention passionnée. Elle avait les pupilles dilatées, fixes.

Un instant qui me parut très long s'écoula ainsi. Enfin Elsa relâcha son étreinte.

— Non, ce serait trop affreux, dit-elle. Vous n'avez pas des yeux d'espion. Vous ne me livrerez pas.

— A qui?

Elle frissonna et dit d'une voix très basse :

— Aux bourreaux allemands.

Je répondis le plus doucement qu'il me fut possible et comme si je m'adressais à un enfant effrayé.

— Vous ne devez avoir peur de rien ici. Même si j'étais un émissaire secret je ne pourrais rien contre vous. Nous sommes en France tout de même.

— C'est aussi ce qu'assure Max, chuchota Elsa.

Mais est-ce qu'il peut savoir? Est-ce que vous pouvez savoir? Ils ne reculent devant rien pour leur vengeance.

Un effroi sans nom déformait ce tremblant murmure. Une terreur qui confinait à la panique écartelait le beau visage.

— Mais quel crime inexpiable avez-vous donc commis envers Hitler? demandai-je, en plaisantant.

— Moi aucun, mais ils ont arrêté mon mari, dès leur arrivée au pouvoir. Si je ne m'étais pas enfuie, ils me jetaient en prison comme complice.

— De quoi donc?

— Est-ce que je sais! Est-ce qu'ils le savent eux-mêmes! Michel, mon mari, était éditeur. Il paraît qu'il publiait surtout les écrivains de gauche. Des livres contre la guerre. Mon pauvre Michel! Il ne s'est jamais occupé de politique.

— On le relâchera bientôt, dis-je avec assurance.

— Dieu vous entende. Il doit passer bientôt en jugement. Dans un autre pays, je serais sûre de sa libération. Mais avec ces brutes horribles...

Elsa promena sur la salle un regard traqué, et reprit:

— Horribles, oh! oui. Ils aiment le sang, la souffrance. Pensez qu'ils ont estropié le petit Max. Simplement parce qu'il est juif. Son père, très bon musicien, venait me faire travailler. L'enfant l'accompagnait parfois. Un jour, en route, ils furent lapidés par des miliciens. Le père y resta: le petit eut les jambes et le bassin brisés. On le rapporta chez nous. Il n'avait plus personne, car sa mère est morte depuis longtemps. Je l'ai gardé. Cela se passait avant même que Hitler ait tout pouvoir. Maintenant les bourreaux sont les maîtres. Je n'ai jamais pu haïr personne. Mais eux, je les hais autant que j'en ai peur. Si l'un d'eux me touchait, je suis sûre que je tomberais morte.

Epuisée, elle s'arrêta. Je pris sa main et, fraternellement, la caressai. Peu à peu le calme revint sur ses traits, dans ses muscles.

— Je pense qu'ils m'ont rendue un peu folle, s'excusa-t-elle avec un triste sourire. Je crois sans cesse avoir des espions sur mes pas. Je ne sors que pour mon travail. J'essaie de faire du bien à Max (un soupir gonfla sa gorge), mais c'est difficile de vivre de cette manière. Vous comprenez, je n'ai pas l'habitude qu'il faut pour cela... ni l'âge.

Le garçon du service de nuit, qui venait d'arriver, jeta un coup d'œil dans la petite salle. C'était Emile. Il m'adressa un signe d'amitié.

— On vous connaît, remarqua Elsa.

— Avant ma maladie, je venais ici chaque soir jusqu'au matin, répondis-je.

— Mais alors... fit-elle en hésitant, alors vous avez dû me voir passer souvent.

— Oui, en manteau de fourrure.

Elle se tut quelques secondes, puis :

— Je ne dois pas être belle à regarder en ces instants.

— Je ne sais pas. Vous marchiez très vite et j'avais la fièvre. Tout ce que je puis dire c'est que vous aviez l'air poursuivie. Maintenant je comprends.

Elle me regarda d'un air singulier.

— Pas tout à fait, dit-elle.

CHAPITRE VI

Je ne devais pas revoir Elsa jusqu'au mois de juin. Elle aurait pu, par la suite, m'expliquer les raisons qui lui inspirèrent cet éloignement pour moi. Elle négligea de le faire et, de mon côté, je trouvai, dans nos rencontres ultérieures tant d'éléments de surprise et d'émotion que je ne songeai pas à les lui demander. C'est pourquoi, malgré une familiarité qui dura près de deux ans avec Elsa, j'en suis réduit jusqu'à présent aux conjectures.

Etait-ce, chez elle, la peur de se livrer plus avant ? Ou le résultat d'une insouciance, d'un manque de volonté qui avaient un caractère presque maladif ? La routine de sa vie anormale ne lui laissait-elle pas le loisir de m'appeler sans besoin pressant ? Ou encore, voulait-elle, avant de me revoir, prendre le temps de vaincre un sentiment qu'elle s'interdisait ?

Je me suis souvent posé ces questions à l'époque dont je parle, sans parvenir à trouver une réponse qui me satisfît. Et Max lui-même ne put ou ne voulut pas me la fournir.

Il vint me rendre deux visites.

*

J'habitais alors, comme je crois l'avoir indiqué déjà, en face du parc Montsouris. On avait construit, peu d'années auparavant, dans une des rues qui le bordent quelques immeubles neufs. Dans l'un d'eux, au coin du boulevard extérieur, j'occupais un atelier au troisième étage.

Les arbres semblaient propager leurs feuilles les plus hautes jusqu'à la grande baie qui ouvrait sur les pelouses, les massifs et les pièces d'eau du vaste jardin tranquille. A travers les ramures je devinais les lignes de quelques pavillons qui appartenaient à cette ville d'étudiants, nouvellement née sur l'emplacement des anciennes fortifications, de Paris.

Une dizaine de jours s'étaient écoulés depuis ma conversation avec Elsa. J'avais téléphoné deux ou trois fois à son hôtel pour la prier à dîner. Elle m'avait répondu en demandant d'attendre un peu, car elle se sentait fatiguée. Cela m'avait déçu, mais point trop. J'étais en plein travail et redoutais pour moi une aventure réglée par les nuits blanches et ivres de Montmartre.

La distance qui séparait des plages du plaisir l'endroit que j'habitais, le calme plein de charmes végétaux dont il se trouvait cerné, le voisinage d'une cité studieuse, suffisaient d'habitude, lorsque je commençais d'écrire, à me protéger contre moi-même, à m'enfermer dans une oasis de vie intérieure. Mais je ne me sentais pas assez fort pour la préférer aux yeux doux et vifs, à la bouche tendre, charnue et fraîche, aux beaux seins d'Elsa, s'ils s'étaient offerts à mes désirs.

Or, un matin, comme je me préparais à sortir pour faire le tour du parc Montsouris, on sonna à ma porte. J'eus, en ouvrant, le même sentiment de vide imprévu que celui que j'avais éprouvé sur le seuil de la chambre 38, rue Henri-Monnier. Là où j'attendais un visage, des épaules, rien ne se montra. Et c'est beaucoup plus bas, cette fois encore, que mes yeux reconnurent Max.

Malgré l'acidité du temps (nous n'étions qu'à la moitié de mars), il ne portait pas de coiffure. Ses cheveux drus, un peu laineux, devaient le protéger suffisamment. Une longue pèlerine cachait ses jambes écartées et rompues, mais le faisait paraître plus bref encore qu'il ne l'était. Et, posé sur le col relevé, sa grosse tête intelligente semblait ne pas appartenir à ce corps.

Je poussai une exclamation heureuse. Elle s'adressait directement à l'enfant et non pas au messager possible d'Elsa. Max me plaisait et m'intéressait beaucoup.

Le petit infirme sentit la nature de mon accueil. Sa figure perdit l'expression de timidité assez anxieuse qu'elle portait lorsque j'avais rencontré son regard. Une sorte de reflet chaud lui anima les joues tandis que je le faisais entrer dans l'atelier.

— C'est bien loin chez vous, mais j'ai fini par trouver tout de même, dit-il avec fierté.

— Tu n'es pas venu en taxi ? demandai-je.

Il eut un mouvement d'effroi avant de répondre :

— Oh ! non, c'est trop cher. J'ai pris le chemin de fer souterrain.

— Mais pour te renseigner, demander la route ?

Max se mordit vivement les lèvres. Une véritable fureur crispa ses traits.

— Voilà comme je suis ! s'écria-t-il. Je m'étais promis de ne parler qu'en français avec vous et j'ai déjà oublié. Je n'apprendrai jamais...

Et, changeant brusquement de langue, il dit :

— Votre appartement est très beau.

S'il n'y avait pas eu trop de volonté, trop d'application dans sa voix, je n'eusse pu croire que c'était un enfant étranger qui parlait. L'accent, l'intonation étaient d'une justesse absolue. Il n'y avait rien d'étonnant à ce que Max fût arrivé jusque chez moi.

— Pourquoi m'as-tu caché que tu connaissais si bien le français ? lui dis-je.

— J'avais peur d'être moqué par vous, répliqua-t-il. Nous n'étions pas encore des amis. Je ne sais pas beaucoup de mots. Pour la grammaire, c'est facile, je sais tout par cœur.

Je me rappelai soudain, au fond d'une synagogue en planches, la nuque voûtée d'un petit talmudiste. C'était en Palestine. Aux alentours éclataient le soleil et l'odeur des orangers. L'enfant, dans l'ombre poudreuse, ignorait tout hors son énorme grimoire.

Max, je l'appris par la suite, n'avait pas été élevé dans l'étude hébraïque. Mais il avait hérité la mémoire prodigieuse et le sens abstrait de ceux qui la pratiquent assidûment.

— Pour l'accent, dit-il encore, je prends des leçons avec Fernand, le garçon, et avec la patronne. Ils sont très bons pour moi.

Soudain, je vis passer dans ses yeux cette ardeur presque sauvage qui m'avait déjà étonné dans sa chambre.

— Je veux oublier l'allemand, s'écria-t-il. Je veux oublier cette langue, ces gens, ces assassins.

— Et Heine ? demandai-je.

— Heine était juif, murmura Max. Et il aimait la France plus que son pays. Et lui, encore, son père n'avait pas été tué à coups de pierre.

Le petit infirme respirait avec difficulté. Un peu de sueur mouillait son front, ses tempes. Il n'avait pas été estropié que physiquement.

— Viens te promener, lui dis-je. Regarde les pelouses, les arbres.

Max alla vers la fenêtre, demeura silencieux

quelques secondes, puis tourna vers moi des yeux timides.

— Ils sont plus beaux d'ici, dit-il en hésitant. Ils sont davantage à nous.

Pour comprendre ce qu'il voulait exprimer, je m'approchai également de la baie. Mais ce ne fut pas le spectacle du parc étendu, pour ainsi dire, à mes pieds qui m'éclaira. Ce fut de trouver le corps de Max à côté du mien. Son infirmité devait lui interdire, du moins en public, toute joie. Et la puissance des troncs, la piste des allées faites pour les sauts et les courses n'étaient pas à sa mesure.

De mon observatoire, il dominait. Cette situation était presque du domaine de l'esprit. Là, il se sentait tranquille, assuré, fort.

Je dis à Max :

— Enlève ta pèlerine et prends un fauteuil.

Il m'obéit avec un plaisir touchant.

Dans son costume de velours neutre, bien coupé, aux culottes bouffantes et qui descendaient au-dessous des genoux, je reconnus un goût fin, instinctif.

— Comment va Madame Elsa ? demandai-je.

— Très bien, vraiment très bien, insista Max, comme si j'avais une raison quelconque de prendre en doute ses paroles. Mais elle dort beaucoup et n'a pas le temps de vous voir. Pourtant elle voudrait. Elle vous envoie de grandes amitiés.

Comment pourrais-je rapporter, même inexactement, l'expression que prenaient la voix et le visage de Max lorsqu'il parlait d'Elsa ? Trop de sentiments s'y mêlaient alors et avec une délicatesse infinie. Protection, pitié, respect, inquiétude se faisaient jour en même temps à travers ses réflexions, au fond de ses yeux graves. Et aussi je ne sais quel bonheur douloureux et jaloux.

L'enfant semblait toujours partagé entre le

besoin de nourrir chez moi l'admiration et la tendresse pour Elsa et une étrange avarice qui, aussitôt, l'obligeait de changer de conversation.

Il en fut ainsi cette fois encore.

— Quelle belle bibliothèque! s'écria Max, en montrant une demi-douzaine de rayons chargés de livres.

Je ne pus m'empêcher de sourire. La paresse, l'insouciance, des habitudes de vagabond, une constante pénurie d'argent provoquée par le désordre de ma vie, avaient précisément pour témoignage cette bibliothèque que Max vantait avec tant de candeur. Elle se réduisait à quelques ouvrages classiques usés par les lectures et aux volumes de tout ordre que je devais à l'amabilité de quelques éditeurs.

J'expliquai à l'enfant ce que pouvait être une vraie cité des livres. Je parlai des éditions précieuses, des vieux et doux vélins, des reliures closes où dorment les grands textes, des gravures, des bois, des manuscrits.

De temps en temps, je m'arrêtais pour savoir s'il me suivait bien, si je ne l'ennuyais pas. Mais il secouait impatiemment sa grosse tête. Je ne crois point qu'il y eût pour lui plus fascinant conte de fées.

J'accompagnai Max jusqu'à la porte d'Orléans. Nous traversâmes le parc. Il boitillait, faisant des enjambées très courtes, très rapides. Il ne regarda pas les garçons qui se livraient de tout cœur aux jeux de son âge.

*

Max reparut chez moi peu de temps après. Son attitude fut tout à fait singulière.

— Vous écrivez? dit-il en montrant des feuillets

sur ma table. Continuez, il faut continuer. Ne faites pas attention à ce que je suis là.

Il y avait de la supplication dans sa voix. Il semblait mendier un délai, un répit.

Je feignis de travailler. Parfois je hasardais un regard vers l'enfant. Chaque fois, Max ouvrait la bouche avec effort comme s'il allait me livrer une confidence nécessaire et pénible. Puis il baissait les paupières et maîtrisait un soupir qui tenait du sanglot.

A la fin, je n'y pus tenir et demandai :

— Qu'y a-t-il, Max, tu souffres ?

— Non, non, rien, murmura-t-il. Absolument rien.

— Alors, c'est Madame Elsa ?

L'infirme se raidit comme si je l'avais frappé. En allemand — ce qui me fit mesurer son émotion — il cria :

— Qui vous a dit ? De quel droit ? Elle va mieux que jamais.

Je le considérai en silence, interdit. Il se dirigea vers la porte. Sur le seuil, sans se retourner, il chuchota d'une voix humble, honteuse :

— Ne venez pas la voir, ne lui téléphonez pas.

Je ne songeai pas à le retenir, et, chose étrange, il ne me vint pas à l'idée d'enfreindre ses recommandations. Je lui reconnaissais, sans en convenir clairement, une autorité indiscutable en ce qui touchait Elsa Wiener.

Bientôt je ne pensai plus que très rarement au couple de la rue Henri-Monnier.

CHAPITRE VII

Mon travail était achevé. J'avais retrouvé une santé puissante et je possédais quelque argent. Je songeais déjà à la manière de les dépenser dans un voyage qui me permît de vivre avec intensité.

Mon appartement m'était devenu insupportable. Je passais mes journées dehors.

Au soir de l'une d'elles, rentrant chez moi pour changer de vêtements, je trouvai sur ma table, ainsi qu'à l'ordinaire, la liste des amis qui m'avaient appelé au téléphone. Ma femme de ménage relevait leurs noms scrupuleusement, mais avec une orthographe qui, parfois, les dénaturaient jusqu'à l'incompréhensible.

Ainsi, je ne pus identifier tout de suite la personne qui se cachait sous la dénomination de Madame Vinaire.

Cependant, la brève notice qui l'accompagnait m'éclaira. J'étais prié de me rendre d'urgence rue Henri-Monnier. Je ne sais pourquoi, il me sembla lire dans l'écriture malhabile un appel de détresse. L'impression fut si forte que, un instant, je revis en pensée, non pas la femme qui m'était apparue dans sa chambre avec Max, mais la passante aux abois. Ce rappel eût suffi à me pousser aussitôt vers elle. Mais il était assez tard. Elsa dînait dehors avant de se rendre à son labeur nocturne. Une communication avec son hôtel me confirma qu'elle était sortie. Fallait-il attendre jusqu'au lendemain ? Je regardai encore les quelques mots transcrits par ma femme de ménage et sentis que je ne pourrais pas contenir si longtemps une impatience où la curiosité n'avait aucune part.

Elsa Wiener chantait-elle encore au *Rajah* ? De toute manière, si elle avait quitté cet établissement, on pourrait m'y renseigner. Montmartre n'était pas assez grand pour qu'une femme comme Elsa pût s'y perdre.

Je n'avais jamais été au *Rajah*. La peinture que m'en avaient faite quelques compagnons de nuit avait suffi à m'en éloigner. La pénombre distinguée, un plafond couvert d'étoiles phosphorescentes, des voiles d'une Inde de pacotille répandus sur les murs, de fausses danses sacrées, des chansons murmurées à voix si basse qu'elles paraissaient des confidences, une attitude rituelle dans le service — tout cela n'était pas de mon goût. Je préférais les endroits plus vivants, ou les bouges. Mais je savais que, durant tout l'hiver, l'établissement avait fait fureur. Comme la saison n'était pas terminée et que, en ce début de juin, les plaisirs de Paris connaissaient une ardeur nouvelle, je m'attendais à trouver une salle pleine en ses moindres recoins. Je tombai sur un désert de ténèbres bleuâtres.

— Madame Wiener chante encore ici ? demandai-je à un garçon.

— Mais toujours, Monsieur, dit celui-ci avec empressement. Je vais la prévenir.

— Non, ce n'est pas la peine. Où puis-je la trouver ?

— Mais là-bas, monsieur, sur la droite, avec les artistes.

Mes yeux s'étaient habitués à l'obscurité. J'aperçus quelques silhouettes autour d'une table. A mesure que j'avançais vers elles, je comptais une demi-douzaine de personnes; mais il me fallut arriver jusqu'à son contact pour reconnaître Elsa.

Je compris, en la regardant, pourquoi les femmes avaient tant aimé le *Rajah*.

Elsa était merveilleusement belle. Issue d'un foyer que dissimulait le bois creux, une lumière de corail baignait doucement son visage, ses yeux, sa chevelure, de secret et de jeunesse. Toute sa chair semblait faite d'une substance inconnue, dont le raffinement dépassait les possibilités humaines. Elle écoutait sa voisine et souriait avec un air d'abandon et d'absence. Les lèvres entrouvertes, l'éclat des dents lui faisaient une expression extraordinaire, dionysiaque. Le verre qu'elle tenait près de sa bouche, et où tremblaient encore quelques gouttes dorées, achevait de donner ce sens à sa figure.

— Bonsoir, Elsa, dis-je à voix basse.

Elle tressaillit si fort que son verre lui échappa des mains. Tandis qu'elle me contemplait avec fixité, un bruit de cristal brisé se propagea longuement dans la salle obscure et vide.

— Qu'est-ce que vous venez faire ici? s'écria soudain Elsa, d'un ton anormalement aigu. M'espionner? Me donner des leçons de morale? Vous n'avez jamais vu de femme ivre dans votre vie? Alors, regardez, je vous en prie, regardez à votre aise. Je ne me cache pas, vous savez. Demandez aux camarades.

Son geste me fit tourner les yeux vers les gens assis autour d'elle. Les femmes, je ne les connaissais pas. Mais les visages de deux hommes m'étaient familiers. L'un, adipeux et poudré, appartenait au chanteur persan Irmin-Khan. L'autre était celui de mon ami Roy Robinson, le danseur nègre. Je les saluai d'un signe de tête. Roy Robinson mit sa patte noire sur la lumineuse chevelure d'Elsa.

— Calmez-vous, bébé, lui dit-il en anglais. C'est un copain.

Cette familiarité me fit mal. La beauté surnaturelle d'Elsa, bien que due à un artifice, avait augmenté la distance qui me séparait d'elle. J'étais, de nouveau, près de l'aimer. Le geste de Roy abimait tout.

— Vous m'avez appelé d'urgence, repris-je froidement. Si vous préférez me fixer un rendez-vous, je partirai tout de suite.

— Madame Elsa, madame Elsa, voyons, murmura une voix très dure, bien que feutrée.

— Laissez tomber, Gaston, intervint avec véhémence la femme assise en face d'Elsa. Elle a suffisamment de chagrin ce soir. Vous voyez bien qu'elle n'a pas sa tête à elle.

— Ce n'est pas une raison, dit le gérant, pour être malhonnête avec les clients.

Elsa se leva d'un seul mouvement. Il semblait que la pire des injures l'avait atteinte.

— Je ne veux pas... non... non... Je vous défends.

— Qu'est-ce qu'il y a encore ? grommela le gérant.

— Vous n'avez pas le droit, poursuivit Elsa dans une colère hystérique. Ce n'est pas un client, c'est mon ami, mon seul ami.

Ses épaules nues tremblaient si fort qu'elle paraissait secouée par un mal mystérieux. En même temps, je sentis se raidir dangereusement ses mains qui avaient agrippé mes poignets. Une seconde encore et une crise furieuse allait la terrasser.

— Allez-vous-en tout de suite, chuchotai-je au gérant. Vous me servirez un whisky, dans le fond, là-bas.

Puis je dis à Elsa :

— Venez, nous allons parler sans que personne nous gêne.

Elle se laissa emmener sans comprendre, j'en suis sûr, et obéissant seulement à l'accent impérieux, indiscutable, que j'avais instinctivement adopté.

Elsa tremblait encore quand nous fûmes assis, mais les frissons s'atténuaient, s'espaçaient. Elle émergea bientôt, à peu près indemne, de la débâcle nerveuse qui l'avait menacée. Une faible plainte entrouvrit ses lèvres contractées, libéra sa poitrine. Je vis se former, lentement, au coin de ses paupières, deux grosses larmes.

Pendant une fraction de temps que je ne pus apprécier, mais qui me parut d'une durée anormale, elles demeurèrent en suspens, rondes, mûres, parfaites, dans un surprenant équilibre. L'éclairage donnait à leur eau un brillant uni et mat de perle et de soie.

La lumière qui semblait sourdre d'elles faisait du visage un masque si mélancolique et si doux qu'il était difficile d'en supporter le spectacle. On croyait sentir dans ces gouttes immobiles, à la fois obscures et scintillantes, le poids matériel de la tristesse.

Elsa ne leur laissa pas le temps de se dissoudre, de rouler sur ses joues. Elle les écrasa au moment même où elles commençaient de fléchir, et dit :

— Je ne pleure pas... Je ne pleure pas...

Une seconde je crus qu'elle allait, par l'effet même de ces paroles, éclater en sanglots, mais elle se maîtrisa et reprit avec hésitation et humilité :

— Il ne faut pas m'en vouloir... Je... Je... vous demande pardon... Si vous saviez comme je suis malheureuse. Vous êtes mon seul ami et je... promettez-moi d'oublier... sinon...

J'eus beaucoup de mal à lui faire admettre que rien dans ses propos n'avait pu me blesser, et que mon seul souci était de savoir le motif de son pressant appel.

L'ivresse et le désespoir avaient amené Elsa à ce point d'égarement où les plus puérils sentiments se mêlant aux plus profonds et aux plus vrais, une susceptibilité maladive, un orgueil déchiré, exigeant, maniaque, vont de pair avec une souffrance qui engage toute une vie. Enfin, parmi des phrases rompues aussitôt que commencées, des plaintes et des cris, des fureurs suivies d'abattements, je réussis à comprendre.

Dans la matinée, Elsa avait appris que son mari était jugé et condamné.

— Le camp de concentration... durée indéterminée... dit-elle.

Elle tordit ses bras dans un mouvement de pleureuse antique.

— Pourquoi ?... Pourquoi ?... Il n'a rien fait... Le camp de mort... c'est fini... Je ne le reverrai plus.

Le mari d'Elsa était pour moi un personnage inconnu, abstrait. Elle-même n'avait pour moi qu'une consistance précaire et limitée étroitement au dessin de sa figure, de son corps. Et encore s'en fallait-il de peu qu'elle ne reprît son apparence d'ombre spectrale et pourchassée. Je ne pouvais, dans ces conditions, éprouver qu'une sorte de compassion intellectuelle, stérile, qui me privait de tout réflexe véritablement secourable.

Elsa dut penser qu'il y avait de la réprobation dans mon silence. Elle s'écria :

— Ce n'est pas un soir pour s'enivrer ? C'est cela que vous pensez ? Et pourquoi pas, si je veux ? J'ai le droit, je suis libre. Je paie mon champagne... Je paie... je paie.

Elle répéta le mot plusieurs fois encore, comme s'il était une réponse à tous les reproches, une raison majeure.

Le gérant s'approcha de moi.

— Ayez la bonté d'excuser Madame Elsa pour quelques instants, dit-il. Un habitué la demande à sa table.

Et s'adressant à la chanteuse :

— C'est Monsieur Morriss.

Elsa se mit à rire. Sa voix était fêlée, enrouée.

— Encore pour boire, me lança-t-elle en se levant.

Elle alla s'asseoir auprès d'un vieil homme très rouge et très chauve.

La femme qui, quelques minutes plus tôt, avait pris le parti d'Elsa contre le gérant, m'appela d'un signe.

— Je suis bien contente qu'Elsa ait un ami, commença-t-elle. Il lui faut un homme...

Je l'arrêtai, disant :

— L'amitié que j'ai pour Elsa n'a pas le sens que vous lui donnez. C'est la deuxième fois, seulement, que je lui parle.

— Ah ! bon... bon... murmura la femme un peu déconcertée. Alors, elle n'a vraiment personne... Quelle drôle de fille ! Avec le succès qu'elle a eu ici... Si j'étais envieuse, j'aurais pu la détester, parole. Mais rien à faire, ils se sont tous cassé le nez. Et maintenant, qu'est-ce qu'elle va devenir ? Le *Rajah*, il est mort et bien mort. La mode est passée. Depuis une semaine, nous sentons tous ça, pas vrai, Roy ?

— Je m'en fous, dit le nègre. J'ai un engagement à Cannes.

— Il n'y a pas que toi, s'écria la femme. Est-ce que je t'en parle de mes contrats pour l'été ? Il s'agit d'Elsa. Elle n'a rien. Elle n'a pensé à rien. Elle attendait toujours son mari pour arranger ses affaires. Et le voilà bouclé.

— Oui, elle a un chagrin terrible, dis-je.

— Le chagrin, le chagrin bien sûr. Mais il y a aussi la croûte.

La femme, dont j'avais distingué peu à peu le visage mûr et grave, me considéra presque sévèrement. Elle tenait au petit peuple par ses manières de parler, de sentir. Elle avait son sens pratique, sa résignation, sa sagesse. Elle devait chanter — et bien chanter — des romances sentimentales et des couplets grossiers.

— Heureusement encore qu'Elsa n'a personne à sa charge, acheva-t-elle sentencieusement.

Je fus sur le point de m'écrier :

— Et Max ?

Mais j'eus la certitude instinctive que je ne devais pas le faire.

Elsa fut, tout à coup, près de moi, chuchotant à mon oreille :

— Je vous en supplie, invitez-moi. Je ne veux plus rester avec l'Américain, je ne veux plus.

Elsa ajouta avec humilité :

— Si... si vous n'avez pas d'argent... Il m'en reste assez pour...

Je ne la laissai pas achever et la conduisis à ma table.

Durant ce bref trajet, il me sembla que la mollesse qui la lia à mon épaule n'était pas due seulement à son désarroi.

Le gérant prit la commande avec une déférence appuyée. Dès qu'il fut à quelques pas, Elsa se mit à balbutier :

— Lui, vous savez, il ne regarde que le nombre des bouteilles. Peu importe qui les demande. Alors, vous me comprenez, et vous m'excusez. Ce soir il m'est impossible d'être aimable, de supporter... ces yeux... ces mains qui essayent... Avant, quand j'ai commencé ici, il s'agissait seulement de chanter. La boîte était pleine. On se disputait les places. Mais

61

depuis qu'on ne vient plus, je suis forcée de faire boire. Encore un peu, et on demandera plus. J'attendais... J'attendais... Je prenais patience... pensant chaque jour que Michel allait arriver... tout arranger.

Elle s'interrompit et murmura :

— Michel... Michel.

Sa tête fléchit. Sur le front tomba une frange de cheveux. Elle ressemblait à une grappe d'or rouge.

— Quand j'ai su que Michel était condamné, reprit Elsa, d'une voix brisée, je me suis dit que j'allais quitter le *Rajah* le soir même. Mais Gaby m'a retenue... Gaby, celle avec qui vous parliez tout à l'heure. Elle connaît la vie. Elle n'a pas été gâtée autant que moi. Si vous pouviez seulement imaginer comme j'ai été gâtée.

A partir de ce moment, je ne fus plus capable de suivre les propos qu'Elsa avec une compréhension entière : sa parole devint précipitée, hachée, confuse. Elle accumula des lieux, des noms. Elle amassa des cadeaux. Elle ressuscita des amours. Elle remua des trésors. Petites villes allemandes. Cours des princes déchus... plaisirs que la guerre attisait, que la paix déchaînait,...

J'avais l'impression qu'un oiseau captif, affolé, se meurtrissait contre une cage en métal brillant.

Depuis quelques instants, l'orchestre jouait une valse allemande. Le violoniste, insensiblement, se rapprocha de nous. Sans transition aucune, et pareille à un instrument mécanique dont le ressort est brusquement libéré, Elsa commença de chanter. Je fus stupéfait par l'assurance de sa voix, son ardente légèreté. A la fin de la chanson, il y eut quelques faibles applaudissements (la salle n'était pas remplie au quart).

Elsa ne sembla pas les entendre. Seul, en elle, un double, un automate avait agi. Elle continua pour moi comme si rien n'avait interrompu sa confidence désespérée :

— Beaucoup d'hommes m'ont aimée, dit Elsa, mais personne comme Michel. Il est beau, il est sain, il est jeune... plus jeune que moi.

Elsa s'arrêta un instant, me considéra avec une expression singulière.

— Beaucoup plus jeune.

Il y eut une longue pause pendant laquelle Elsa sembla attendre de moi une réponse qui ne vint point. Alors, elle s'écria :

— Ne croyez pas que si j'ai hésité près d'un an à l'épouser, c'est pour la différence d'âge. Oh ! non, je n'avais pas peur. Il m'aime trop pour cela. Seulement, moi, je ne l'aimais pas assez pour quitter tout de suite la liberté, la scène. Enfin, tout de même, j'ai consenti : il me suppliait tellement. Il avait l'air de quelqu'un de perdu, il était si malheureux ! Et je pouvais toujours le laisser, n'est-ce pas, si je le voulais. Pauvre Michel, comme il en avait peur ! Il cherchait à deviner chacun de mes désirs. Il en inventait. Il me forçait à sortir sans lui, à danser, et pourtant il était terriblement jaloux. Mais il le cachait, il savait que je ne le supporterais pas. Il savait que je n'avais pas d'amour pour lui.

Un brusque tressaillement agita les mains d'Elsa qui tenaient un verre dont elle avait oublié de vider le contenu. Elle remarqua avec un rire sans gaieté :

— On pourrait croire que je suis restée avec Michel pour son argent. Ce n'est pas vrai. L'argent n'a jamais existé pour moi. C'est le sentiment de Michel qui m'a retenue. Et s'il avait été malade, je l'aurais soigné comme une mère. Et mon sang, vous entendez bien, je l'aurais donné pour le sauver d'un danger. Mais mon corps ne l'aimait pas. Je n'ai jamais pu avoir de plaisir avec lui. Ce sont des choses qui arrivent.

Il n'y avait aucune inflexion de remords, de regret dans les paroles d'Elsa. Elle se bornait à m'indiquer ce divorce entre la tendresse et le désir si fréquent, si terrible et où, contrairement aux règles courantes, elle se refusait à voir une faute. Avec la même simplicité, elle poursuivit :

— J'ai trompé Michel, souvent. Je le lui ai bien caché, je crois. Pourquoi faire du mal, quand on peut l'éviter ?

J'eus le sentiment que cette confession si crue, cet entier abandon me donnaient le droit d'interroger Elsa.

— Mais, dans ce cas, demandai-je, pourquoi...

La manière spontanée dont Elsa m'interrompit montra qu'elle me reconnaissait ce droit. Elle s'écria :

— Pourquoi je vis seule, ici ? Pourquoi je m'enferme dans mon hôtel ? Pourquoi j'évite les hommes malgré la musique, le vin, toutes les occasions ? Réfléchissez un tout petit peu, et vous verrez que je ne peux pas faire autrement. Pensez à Michel. A la prison, aux coups. Pensez qu'il est sans moi. Est-ce que je peux vivre pour mon plaisir ? L'oublier ? M'oublier ? Mais ça lui porterait malheur. Je n'aurai jamais ce courage.

Comme je méditais à cette étrange loyauté Elsa se pencha vers moi :

— Et dire, murmura-t-elle, que, juste dans ces mois où personne ne m'a touchée, Michel doit être sûr que je le trompe. Quelle pitié ! et maintenant... et maintenant... il est enlevé au monde... Que doit-il penser ? Le malheureux... Je suis toute sa vie.

Le fléchissement des épaules d'Elsa devint plus sensible. Son front effleura le mien. Elle dit d'une voix à peine distincte :

— Et je ne l'aime pas... Si Michel revenait tout à

coup en bonne santé, joyeux, je crois... je crois...
oui... le premier venu...

Elle se redressa d'un mouvement plein de défi
sensuel.

— Et Max lui-même n'y pourrait rien !

— Max... le petit Max ?...

— Oui... oui... le petit Max. Ne pensez pas à son
âge. Il sent tout, il devine tout, il adore Michel.
Souvent, il me semble que c'est son délégué près de
moi. Si je suis prête à faiblir, il me rappelle d'un
mot, d'un regard, il m'empêche. Croyez-vous à la
transmission de la pensée, de la volonté ?

— Je le crois, répondis-je.

Et me révélant à moi-même une pensée que
j'ignorais, je poursuivis :

— Je crois que Max est également jaloux de vous
pour son propre compte.

Elsa demeura un instant silencieuse, puis dit
lentement :

— Quelquefois, j'ai la même impression. Il me
regarde comme un homme qui aime. Mais c'est
toujours quand j'ai beaucoup bu. Et je pense que je
suis folle.

Machinalement, Elsa vida son verre.

— Je bois de plus en plus, remarqua-t-elle sans
s'adresser à moi.

*

Le *Rajah* ferma ses portes assez tôt.

— Ils n'en ont plus pour quinze jours, m'assura
Roy Robinson sur le seuil. On prend un verre au
Froggy ?

— Peut-être tout à l'heure. J'accompagne Elsa.

La chanteuse sortit du vestiaire avec son manteau
de zibeline.

— C'est lourd au mois de juin, dit-elle. Mais je n'ai rien d'autre à mettre sur une robe du soir.

Je lui transmis la proposition de Roy.

— Je ne sais pas, dit-elle en hésitant. Je voudrais bien... Mais... non... non..., parce que...

Brusquement une sorte de flux la traversa, la jeta contre moi. Sur ma bouche se pressèrent des lèvres lisses comme une belle pulpe, puis j'entendis un cri de bête blessée.

— Ne me suivez pas... Au nom du ciel... laissez-moi.

Une silhouette traquée, aux cheveux nus, s'éloigna rapidement vers le carrefour du *Sans-Souci*.

CHAPITRE VIII

Jusqu'aux environs de midi, je traînai avec Roy Robinson.

Il aimait les petits bars confidentiels où l'on ne parlait que l'anglais. Dans ces cellules nues et vernies veillaient des musiciens noirs, des alcooliques, des hommes de la pègre, qui, tous, avaient la nostalgie de Harlem, de Broadway ou de Soho.

On y mangeait des saucisses chaudes, d'étonnants mélanges à base de crème et de piment. On buvait du whisky pur qui sentait la contrebande.

Parfois entraient quelques filles blêmes, aux yeux très clairs. Elles s'asseyaient sur un tabouret et finissaient de s'enivrer en silence.

Pour ma part, je ne touchais que fort peu à l'alcool. Si j'étais demeuré dans le sillage de Roy, c'était simplement par impossibilité de rentrer chez moi, de me coucher. Les propos que m'avait tenus Elsa laissaient dans mon esprit et dans mes nerfs un malaise tenace et trouble, une sorte de courbature morale auxquels convenaient mal la solitude et le repos.

Pour m'acclimater au nouveau personnage d'Elsa que la nuit du *Rajah* avait formé, pour ainsi dire, sous mes yeux, il me fallait ce dédoublement, cette vision singulière qui s'obtient seulement par la fatigue et l'insomnie, dans les lieux enfumés où les hommes oublient de vivre.

Rien n'était naturel dans mes rapports avec cette femme, nés de son passage hagard devant un débit voué au maléfice de l'aube d'hiver. Rien n'était naturel dans l'existence qu'elle menait.

Le désœuvrement du restaurant nocturne... la chambre dans un hôtel douteux... la claustration... Max, l'infirme... le métier d'entraîneuse.. Et cet écartèlement surtout qu'elle venait de me révéler.

Un amour incomplet, une fidélité forcée et abstraite, un élan faussé, un refoulement voulu, un instinct mis à la torture, voilà les éléments avec lesquels Elsa devait composer la trame de ses jours et de ses nuits. Alors que la plus heureuse simplicité, l'appétit le plus clair et le plus animal habitaient son corps et son cœur faits pour la santé, le désir et la joie.

Elle avait tenu quelques semaines et déjà des ressorts essentiels se déréglaient en elle.

Ces alternances de fureur, d'attendrissement et de désespoir que j'avais surpris au cours de la nuit, je les connaissais trop et chez tant d'épaves de Montmartre pour ne pas en frémir. La boisson, certes, y avait sa part, mais surtout la revanche des puissances intérieures.

Encore Elsa avait-elle attendu avec assurance son mari. Et dans cette attente, elle n'aurait pu dire avec sincérité quelle impatience l'emportait : celle de revoir Michel, ou celle de se sentir par son retour rendue à la liberté des sens.

Maintenant s'étendait devant elle un espace vital, sans terme, ni forme.

Qu'allait-elle faire, sans lien avec la terre qui portait son exil, sans lien avec les hommes qui l'entouraient et avec lesquels elle s'interdisait tout contact ?

Je pensais à cela, accablé, impuissant à résoudre quoi que ce fût, à prévoir même le lendemain pour Elsa, lorsque je quittai Roy et me dirigeai vers la rue Henri-Monnier.

Ce n'était pas le souvenir du baiser reçu sur le seuil du *Rajah* qui m'attirait. Je savais bien qu'il ne m'était pas destiné, mais, à travers moi, au monde charnel dont Elsa s'était retranchée par une sorte de mutilation volontaire. Les circonstances mêmes de notre rencontre, mon amitié pour Max, l'appel d'Elsa m'imposaient envers elle une sorte de devoir que je ne pouvais définir, mais qui me liait à sa destinée.

Le premier mouvement de Max, lorsqu'il m'eut reconnu dans l'entrebâillement de la porte, fut de la repousser sur moi. Il se reprit très vite, me laissa entrer. Mais ses yeux évitèrent les miens. Dans toute son attitude, il y avait une gêne, une honte qui allaient jusqu'à la souffrance.

— Vous l'avez vue cette nuit, dit-il, la tête baissée, en feuilletant un livre. Est-ce qu'elle était... (il avala péniblement sa salive)... très ivre ?

Je me forçai à réprimer un haut-le-corps, et à répondre comme si la question me semblait toute naturelle.

— Mais non, mon petit Max, pas du tout. Elsa, au contraire, m'a beaucoup parlé, et avec une grande clarté, de ses malheurs.

Max me considéra d'un regard méfiant. Je réussis sans doute à lui donner le change, car ses yeux perdirent leur expression hostile.

Il vint à moi, prit ma main avec timidité.

— Excusez-moi, murmura-t-il. Je ne veux pas qu'on la juge mal. Vous surtout... La dernière fois que je suis venu à votre atelier, je voulais vous parler, vous demander conseil. Je n'ai pas osé, puisque vous ne saviez pas encore que... que... enfin, elle buvait. Je n'avais pas le droit.

— Bien sûr, dis-je. Tu as très bien fait. Il ne fallait pas m'en dire un mot.

— Et pourquoi ? s'écria soudain Max, avec violence.

Je compris que la facilité de mon adhésion l'avait blessé pour Elsa. Mais il était trop tard. L'infirme poursuivit sur un ton dur et pressé :

— Oui, pourquoi ? Elle n'a rien à cacher. Elle ne fait rien de mal. Et d'ailleurs ça ne regarde personne... Non... Non... personne.

C'était surtout lui-même que Max tâchait de convaincre, de calmer. La rougeur de ses pommettes, l'agitation de sa pomme d'Adam montraient qu'il n'y parvenait guère.

Je demandai :

— Tu n'as pas peur de réveiller Elsa en parlant haut ?

Il me regarda une seconde avec stupeur, puis son visage fut envahi par une tristesse sans nom.

— Oh ! maintenant, ce n'est plus la peine. Elle dort comme une morte (il frissonna)... Parfois... elle parle... elle crie... J'accours. Elle n'a pas bougé... Et avant son sommeil était si léger...

Sa voix se fit monotone, détimbrée, ainsi qu'il arrive aux gens qui expriment tout haut des pensées usées jusqu'à la trame et vidées de substance à force de répétition.

— Elle m'embrasse toujours en revenant. Mais comme si j'étais absent, comme si j'étais un objet. Et moi, je fais semblant de dormir. Elle ne veut pas que je l'attende. Mais comment pourrais-je faire autrement ? J'ai peur. J'ai si peur. Même quand elle est là, maintenant... J'écoute... j'écoute... j'écoute... j'écoute... Pourquoi se plaint-elle si fort dans ses rêves ?

70

Il me sembla voir cet enfant infirme, épiant à travers une cloison les gémissements d'une femme ivre et déracinée...

L'aube sale dans les petites chambres au papier usé, flétri... Les bruits suspects des couloirs... L'angoisse d'un cœur trop faible, trop jeune pour sa charge... Je voulus échapper à tant de misère.

— Allons, Max, dis-je brusquement. Conduis-toi en homme. Il ne s'agit pas de te plaindre, mais d'aider Elsa.

L'enfant tressaillit et dit :

— Vous avez raison... oui... Je n'ai pas assez de courage. Mais cela n'arrive jamais devant elle. Je vous jure que ça ne recommencera plus... Il faut me...

Je l'interrompis encore :

— Tu vas réveiller Elsa, et nous verrons ensemble ce que l'on peut faire.

Max disparut dans la pièce voisine sans protester. Quand il revint, je devinai, à la façon dont il me regarda, qu'il lui restait encore assez d'enfance pour croire aux miracles. Hélas ! Je n'avais pas même un projet sensé à lui offrir. Nous gardâmes le silence jusqu'au moment où parut Elsa.

Elle vint très vite. Et je suis sûr qu'elle s'était interdit tout artifice par un obscur besoin de mortification, pour châtier l'impulsion qui l'avait, un instant, jetée contre moi.

Mais aurait-elle emprunté aux fards les ressources les plus subtiles qu'il n'eût pas été en leur pouvoir de complètement cacher les stigmates que son visage nu me montrait.

La ligne délicate et fuyante qui marquait le cou à sa naissance commençait à s'empâter. Une griffe impitoyable traçait au même endroit son premier sillon. Les joues encore lisses étaient trop pleines.

Le même gonflement malsain épaississait le cerne des yeux.

Elsa n'était plus assez jeune pour que le travail de l'alcool et de la fatigue n'apparût pas inscrit sur sa figure par des signes pesants et vulgaires. Sa beauté résistait encore, mais, déjà, la menace était certaine. On pouvait deviner le masque lourdement animal qui se dégagerait de ses traits doux et sensuels, s'ils continuaient à demeurer soumis à l'érosion nocturne.

Je me rappelai la figure qui m'avait accueilli trois mois auparavant, dans cette même chambre, et mesurai la destruction.

La pitié qui me vint alors, mêlée d'effroi, fut plus profonde qu'un sentiment personnel. Elle n'avait pas seulement Elsa pour objet, mais toutes les belles créatures, toutes les instables formes humaines sur qui la ruine est suspendue.

— Il faut absolument vous reposer, dis-je à voix basse.

Une expression de panique passa dans les yeux d'Elsa.

— Je deviens très laide, n'est-ce pas ? demanda-t-elle.

— Ce n'est pas vrai, s'écria Max.

Elsa lui caressa les cheveux et dit :

— Je sais, j'aurais besoin...

Elle s'arrêta, serra les lèvres et reprit avec une violence, une obstination désespérées.

— Non, je n'ai besoin de rien, tant que Michel est malheureux, à la merci de ces brutes, de ces bourreaux. Je ne pense qu'à lui. Je veux l'aider, le sauver... Je le veux... je le veux.

On eût dit que, connaissant sa faiblesse, sa légèreté, son enfantillage, Elsa cherchait à s'hypnotiser elle-même.

Un espoir la traversa qui lui sembla, sans doute,

la récompense de cet effort, car son visage devint, d'un seul coup, vivant et lumineux.

— Oh! c'est la chance qui vous a mis sur mon chemin. Je ne connais personne à Paris, mais vous, vous avez des relations avec la presse, vous êtes puissant.

J'ébauchai un geste pour la détromper ; elle ne le vit pas et poursuivit, emportée par la puissance d'illusion qui subsistait chez elle à l'état puéril :

— Comment n'y ai-je pas pensé plus tôt ? Il y a des organisations pour les victimes des nazis. Vous pouvez les faire intervenir. Elles doivent s'occuper de Michel.

J'interrompis Elsa et lui dis que ces groupements n'étaient utiles que pour les réfugiés. Que leur influence ne s'étendait pas en dehors des frontières françaises, et que, en Allemagne, leur action pouvait être seulement néfaste.

Elle ne voulut rien entendre, prétendit que je me trompais, que je n'avais jamais essayé.

— J'irai avec vous, s'écria-t-elle enfin, je saurai les persuader. On ne laisse pas un homme comme Michel être assassiné lentement. Ils feront quelque chose. Je le sens. Conduisez-moi seulement. Je réponds du reste. Je vous prie, ne m'abandonnez pas.

De nouveau, Elsa était contre moi. Ses mains pressaient les miennes. Je sentais son souffle sur mes joues, et, à travers le peignoir léger, la chaleur de son corps, comme s'il avait été nu.

Mais cette fois, il n'y avait rien qui pût me rappeler dans son regard suppliant, dans sa fraternelle confiance, la fureur inassouvie du baiser qui nous avait, quelques heures plus tôt, unis et séparés. Au contraire, cette prière ingénue, la pureté de l'élan effaçaient le souvenir sensuel, en interdisaient le prolongement, le retour.

L'instinct d'Elsa, mieux que n'importe quelle manœuvre, avait réussi à rompre la trouble entente que la nuit du *Rajah* avait commencé de former entre nous.

Max dit très doucement à Elsa :

— Ne vous inquiétez pas. Tout sera fait comme vous le désirez.

CHAPITRE IX

Comme il était naturel, nos démarches n'aboutirent à rien.

Un refus courtois, étonné, les accueillit l'une après l'autre. Mais leur mécanisme même, pour décevant qu'il fût et monotone, fit à Elsa un bien surprenant.

Elle m'accompagna partout. Afin d'être prête à n'importe quelle heure elle cessa de boire. Cherchant à plaire, elle fit attention à son visage, à son corps. Son pouvoir de récupération était encore assez vif pour effacer en quelques jours, et à peu près complètement, les stigmates que j'avais découverts sur elle.

Mais ce fut avant tout son humeur qui changea. Elsa trouva soudain cette joie claire, cette santé intérieure, ce profond goût de vivre et cette insouciante simplicité qui m'avaient séduit si fort pendant ma première visite à l'hôtel *Monnier,* et dont plus rien ne semblait subsister lorsque j'avais revu la chanteuse au *Rajah.*

— Enfin, je fais quelque chose pour Michel, répétait chaque jour Elsa, malgré l'inutilité de ses prières.

Espéra-t-elle jusqu'au bout de les voir exaucées

par quelque prodige ? Etait-ce même le levier essentiel de son activité ?

Elle n'aimait pas son mari d'amour, elle n'éprouvait pas le besoin, la soif de sa présence. Le sentiment dominant qu'elle nourrissait pour lui était la gratitude. Il en découlait pour elle une obligation absolue : ne pas trahir son mari dans les jours de malheur et travailler, dans la mesure de ses forces, à sa libération.

Par les courses et les visites qui nous occupèrent pendant deux semaines, Elsa put enfin assouvir cet instinct de loyauté qui, chez elle, était aussi pressant, aussi exigeant que ses autres instincts. Le résultat de ses démarches lui importait, peut-être, moins que le fait de les accomplir.

Quoi qu'il en fût, elle supporta leur échec définitif avec une dignité paisible.

Elle ne s'émut pas davantage lorsque, sur ces entrefaites, le *Rajah* fut mis en faillite.

— Depuis que j'ai la tête claire, je savais que la fin était une question de jours, me dit-elle le lendemain de cet événément. Et j'ai pris mes précautions.

Elle me regarda en souriant. Ses yeux, pleins d'une force ingénue, étaient en harmonie avec le ciel chargé des promesses de l'été naissant.

Nous déjeunions dans un restaurant du parc Montsouris. Max me l'avait timidement demandé quelques jours plus tôt.

— Je vous préviens que j'aurai besoin de vous, reprit Elsa, en souriant toujours.

— Pour un engagement ? Vous savez, hélas ! que...

— Nous parlerons de tout cela chez vous, m'interrompit Elsa. Max m'a tellement vanté votre atelier que je profite du premier prétexte pour le voir.

Son visage devint grave. Elle considéra le petit infirme d'un regard plus pensif qu'à l'ordinaire, et dit :

— Vous ne pouvez pas vous rendre compte combien *nous* vous aimons.

Je sus, dès ce moment, qu'il n'y aurait jamais, entre Elsa et moi, de lien physique.

*

— Non... il ne s'agit pas d'un engagement, dit Elsa, lorsqu'elle eut tout examiné dans mon logis. Je veux d'abord suivre votre conseil, me reposer. Il faut que je reprenne des forces. Il faut que, pour la saison prochaine, j'aie tous mes moyens. Je n'ai plus à compter sur personne, je dois aider Michel, et je dois élever Max. Si j'avais pu prévoir cela en arrivant ici, je n'aurais pas agi comme une folle. L'argent que j'avais pu emporter, les bijoux, j'ai tout dépensé dans les premières semaines. Mais, vous savez, Paris était si merveilleux, et puis il me fallait des robes pour travailler. Je ne pouvais pas, tout de même, débuter dans mes vieilleries de Berlin, et je pensais que Michel allait venir et qu'il s'occuperait de tout. Enfin, ça, c'est du passé. Je n'ai plus rien... Plus rien... que des dettes dans mon hôtel. Les appointements du *Rajah*, je... ils sont tous restés, là-bas, en champagne... C'est drôle !

Elsa se mit à rire avec un plaisir qui, en même temps, touchait et faisait peur.

— S'il ne s'agit que de votre compte à l'hôtel, je puis arranger cela, dis-je spontanément.

Elle refusa mon offre avec autant de simplicité que je l'avais faite. Nous étions devenus, irrémédiablement, des camarades.

— Merci, répliqua-t-elle. Lorsque j'aurai besoin de vous, je vous le demanderai, soyez tranquille.

Pour l'instant je suis très riche. J'ai vendu ma zibeline.

Au premier instant, je ne compris pas pourquoi cet acte, en soi naturel et raisonnable, me parut d'une si lourde tristesse. Puis, je pensai à la femme traquée, dont le cou et les cheveux se détachaient d'un manteau de fourrure entrouvert. La passante du *Sans-Souci* perdait son dernier reflet. J'en souffrais.

Les fantômes ont plus de pouvoir parfois que les êtres vivants.

Des vingt mille francs que lui avait valus son marché, Elsa avait décidé d'envoyer la moitié à son mari. L'autre moitié devait lui servir à passer, avec Max, des vacances paisibles jusqu'à l'automne.

C'était sur le lieu de ce repos qu'elle voulait me consulter.

— Je ne connais que la Côte d'Azur, dit-elle, et je n'en veux pas. Il faut dépenser beaucoup d'argent, et puis, de toute manière, c'est trop... non... trop...

Elle s'arrêta, crispée, comme si quelque ennemi approchait.

— Non... non... s'écria-t-elle. Ce soleil, cette chaleur... qui entrent sous la peau... Non ! d'ailleurs, pour Max, les médecins m'avaient dit à Berlin qu'il lui fallait un air vif, fort, comme sur la Baltique, chez nous.

Elsa vit le mouvement de l'enfant. Aussitôt, comme prise en faute, elle lui dit :

— Non... pas chez nous. Tu as raison. Ce n'est plus chez nous, là-bas.

Puis à moi :

— Pouvez-vous m'indiquer un endroit comme celui que je voudrais ?

Je cherchai quelques secondes, et me souvins de champs de blé qui descendaient jusqu'à un flot glauque, d'un vent salubre et puissant, d'hommes mêlés à l'Océan. C'était au cap Griz-Nez. Par beau temps, on voyait les côtes anglaises, vers lesquelles, avec la marée, partaient les meilleurs nageurs du monde.

Je décrivis à Elsa le paysage, sa vigueur, sa solitude.

— Voilà, voilà ce qu'il nous faut, s'écria-t-elle. Max, nous partons demain.

La même expression d'impatience anima leurs yeux. Ils ne pensaient plus qu'à leurs bagages. Avant de quitter mon appartement, Elsa me fit promettre d'aller la voir, fût-ce un jour, au cap Griz-Nez.

CHAPITRE X

Je tins ma promesse grâce au hasard d'une brève enquête qui, pour le compte d'un journal, me conduisit en Angleterre au mois de septembre.

Débarqué à Boulogne, je me souvins que le cap Gris-Nez se trouvait à une dizaine de kilomètres de ce port.

Elsa n'habitait plus l'hôtel que je lui avais indiqué. J'appris là — nous n'avions pas correspondu — qu'elle n'y avait passé que quelques jours, puis avait décidé de louer, pour la saison, une maison de pêcheurs, dans un village voisin qui s'appelait le Cran-aux-Œufs.

Je trouvai, prolongeant la falaise, épousant ses contours et ses arêtes, un groupe de maisons blanchâtres et tordues, étranges fermes marines. Les poules picoraient le fumier dans les cours. On entendait au fond des étables les bœufs mugir. Et en même temps, de tous côtés, on apercevait l'Océan qui roulait ses flots autour des promontoires.

Il brisait durement contre les caps qui s'égrenaient jusqu'à l'horizon, contre les roches aux formes magnifiques et torturées par l'incessant combat de la pierre et de l'eau. Le soleil faisait vivre sur les vagues verdâtres un monstre mouvant et immense, aux écailles d'or. L'atmosphère agreste et aventureuse, une robuste pauvreté, le bruit des galets remués par le ressac, l'espace vide, clair et lumineux, à peine touché de brume, tout semblait fait pour armer les cœurs de courage et de calme.

Mais si j'admirais cette sévérité, cette nudité héroïques, je pensais qu'une femme comme Elsa n'avait pas pu en supporter longtemps l'âpre caractère. Elle avait dû chercher très vite un climat plus moelleux.

Pourtant, quand mon guide m'introduisit dans une petite salle basse et obscure, crépie à la chaux, ce fut Elsa que je trouvai.

Peut-être l'aurais-je mal reconnue avec ses cheveux noués négligemment, avec ses jambes nues et chaussées d'espadrilles, sa courte robe de toile écrue, si le mouvement de joie, le cri heureux que lui arracha ma venue subite, ne m'avaient aussitôt rassuré. Elle m'embrassa à plusieurs reprises. Ses joues étaient fermes, fraîches. Le cou avait repris une minceur virginale. Plus une ride sous les yeux. Elsa sentait le sel, l'iode, la santé.

— Comme Max sera content, s'écria-t-elle. Et quelle bonne idée d'arriver juste pour notre bain. Venez. Venez vite, Max est déjà en bas.

Je fus prêt en quelques minutes, mais Elsa m'avait devancé. Quand je sortis de la maison, elle était déjà dehors, en maillot. Un regret fugitif m'effleura lorsque je la suivis sur le sentier abrupt qui s'enfonçait entre les rochers jusqu'à la grève.

Les reins étaient vigoureux et flexibles. Le dos, les épaules, la nuque avaient pris une teinte hâlée sur laquelle la chevelure fleurissait comme une rouille éclatante. L'effort sculptait les seins puissants et purs.

Mais la brise du large, le contact du sol austère, et je ne sais quelle chaste aisance dans la démarche d'Elsa me firent oublier que j'aurais pu, avec un peu plus de chance ou de volonté, tout connaître de ce corps dont je découvrais soudain le prix véritable. Et ce fut avec un étonnement désintéressé que je regardai Elsa descendre la pente rugueuse et glissante. Ses pieds connaissaient chaque pierre du sentier. Elle sautait de l'une à l'autre, se laissait porter par son élan, se retenait d'une prise juste et légère et parfois se retournait vers moi avec un cri de plaisir, un défi amical. On eût dit une jeune fille.

Max m'aperçut de loin. Je ne sais s'il me reconnut tout de suite, mais le peignoir qui, jusque-là, traînait près de lui, il s'en couvrit précipitamment ; il ne devait plus le quitter que pour glisser dans l'eau.

— Il aura honte de ses jambes toute la vie, soupira Elsa. Pourtant il descend la falaise presque aussi vite que moi, maintenant. Et il nage vraiment bien.

Les bienfaits d'un air pur et d'une vie arrachée aux ruelles de Montmartre, je les vis également répandus sur l'infirme. La peau n'avait plus sa teinte grisâtre, son aspect grumeleux. Une lumière nouvelle, très fraîche, brillait dans le regard. Près de Max gisaient, pêle-mêle, des galets et des coquillages.

— Vous voyez, me dit Elsa. Il comprend enfin qu'il y a, dans le monde, quelque chose d'autre que les livres.

— Je suis devenu presque paresseux, ici, confirma l'enfant, avec un rire plein de félicité.

L'eau était glacée. Du moins, je la trouvai telle. Elsa et Max ne paraissaient pas s'en apercevoir. Ils jouaient et nageaient sans hâte.

Je remarquai combien s'était formée, chez l'infirme, la musculature des bras et des épaules. Tout l'effort leur étant dévolu, ils commençaient à devenir d'une ampleur anormale, et l'on pouvait déjà prévoir le dessin déséquilibré de ce corps lorsqu'il aurait atteint son développement complet. Le cou, par contre, s'était dégagé et la tête paraissait plus légère, plus harmonieuse. On eût dit que celle d'Elsa, près de qui elle flottait, lui avait communiqué un reflet de son rayonnement physique. Je ne devais pas oublier l'image qu'ils me donnèrent ce matin-là, tandis que les vastes nappes liquides les ensevelissaient et les découvraient tour à tour.

Puis, nous allâmes déjeuner. Le repas, dans la maison du pêcheur, fut simple et copieux. Elsa et Max faisaient le service alternativement. Ils me racontèrent leur existence.

Depuis près de trois mois, elle était partagée entre les soins du ménage, les bains, la promenade, la lecture. J'appris aussi que c'était Max qui avait obtenu d'Elsa qu'elle abandonnât l'hôtel.

— Il me mène complètement, dit-elle. Il finira par me rendre raisonnable. Quant à lui, il se prétend un homme, parce que nous avons fêté ses treize ans il y a deux semaines.

— D'après la religion juive, expliqua Max sérieusement, depuis ce jour, je suis *barmitzva*, c'est-à-dire responsable de mes péchés. Alors je peux aussi bien être responsable de ma vie.

— Il a même pensé à vous pour l'aider à travailler dans un journal, me dit Elsa en riant.

— Pour les traductions seulement, murmura l'infirme en devenant très rouge.

— Il te faudra attendre, tout de même, dis-je, sans trop sourire, à cause des grands yeux intelligents fixés sur moi avec supplication.

— Pourtant, je saurais déjà, je crois, murmura Max. J'ai essayé avec les lettres de Monsieur Michel. Je...

Il n'acheva point. La couleur qui avait recouvert ses joues était devenue plus épaisse, plus sombre.

Elsa dit vivement :

— Oui... c'est pour vous qu'il les a traduites. Figurez-vous j'ai reçu deux lettres de Michel. Je ne sais par quel moyen il a pu les faire passer. Elles disent toute la vérité sur son camp... c'est atroce... Et puis, il y a des choses pour moi. Max les a trouvées très belles. Il a voulu que vous n'en perdiez pas un mot. Attendez, elles sont là.

Sur une petite table placée devant la fenêtre et d'où l'on découvrait l'horizon marin, Elsa prit un mince cahier. Une écriture soigneuse avait respecté les marges délimitées par un trait rouge. Sur ces pages d'écolier pauvre, je lus, dans la traduction de Max, les plaintes et les effusions du prisonnier.

Tout d'abord, je fus sensible aux dons de l'enfant, à la justesse des phrases, au choix délicat des mots. Il me sembla que ces confidences déchirantes, que ces brûlants aveux, ils avaient été écrits, dès l'origine, dans la langue que j'avais sous les yeux.

Quelle détresse et quelle adoration !

On sentait que la misère physique, les coups, la faim, un sadisme sauvage étaient sur le point de briser un homme jeune et fort. Seul luttait pour lui l'amour qu'il continuait de vouer à Elsa. Et cet amour était suffisant pour vaincre la souffrance, l'humiliation, la terreur.

Quand j'eus achevé ma lecture, je demeurai assez longtemps silencieux avec un sentiment de gêne et d'infériorité. Enfin, usant exprès d'une équivoque et sans préciser si ma louange s'adressait au mari d'Elsa ou à Max, je murmurai :

— C'est bien... c'est très bien...

Un orgueil tendre et fort fit paraître plus chauds les yeux d'Elsa.

— Que deviendrait-il si je venais à lui manquer ! dit-elle. Ce serait pire qu'un assassinat.

Elle médita quelques instants et reprit :

— Vous avez remarqué, Michel ne parle pas de

84

l'argent que je lui ai envoyé après avoir vendu mon manteau. Je crains qu'il ne l'ait pas reçu.

— Sûrement pas, dit Max. Madame Elsa a voulu adresser tout de suite la somme au camp de concentration. Je l'avais suppliée de se renseigner si on avait le droit. Elle ne m'a pas écouté.

— Il est trop tard pour se plaindre, Max. Ce qui est fait est fait, répliqua Elsa avec une impatience où je reconnus sa légèreté puérile. Cet argent me brûlait les mains et puis il nous reste cinq mille francs d'économies sur lesquels nous ne comptions pas. Nous n'avons donc perdu que la moitié.

Ce calcul eut le don de rasséréner Elsa. Elle prit une voix nette de femme d'affaires pour ajouter :

— J'attendrai maintenant les instructions de Michel pour l'argent que je lui enverrai. Du capital que je possède, je fais deux parts égales. L'une me servira à louer un petit appartement quand nous reviendrons à Paris et à choisir sans me presser un engagement qui me convienne. Quant à l'autre...

Elsa s'interrompit pour demander :

— Quand partez-vous ?

— Par le train de ce soir.

— Eh bien, vous allez me rendre un grand service... m'accompagner au casino de Boulogne. Il y a longtemps que je voulais y aller, mais seule, cela me gênait.

Je fis tout ce que je pus pour détourner Elsa de son dessein. Je lui montrai qu'elle devait ménager ses ressources plus que quiconque et, enfin, qu'il valait mieux risquer cet argent en l'envoyant à son mari.

— Il n'en a pas besoin pour l'instant, puisqu'il ne me demande rien, répondit Elsa. Ce n'est pas avec deux mille francs que je l'aiderai vraiment. Et je ne serai pas beaucoup plus pauvre si je les perds.

Non... Croyez-moi... J'ai bien réfléchi... Ce n'est que raisonnable.

Je regardai Max, cherchant en lui un soutien. Mais sur son visage éclatait aussi la foi dans le miracle.

— Elle en a tellement envie, dit-il. Elle aura la chance pour elle, j'en suis sûr.

Pendant une heure le pressentiment de Max se réalisa. Malgré la médiocrité de la partie, réduite à une seule table, Elsa amassa une vingtaine de grosses plaques. Elle était seule à gagner. Chacune de ses inspirations, même la plus folle, lui apportait une réussite.

A deux reprises, je suppliai Elsa de s'arrêter, de partir avec son gain. Je ne sais même pas si elle comprit mes avertissements. Une force l'emportait qui ne tenait pas uniquement aux cartes. Dans ses narines dilatées, dans l'humidité brillante de son regard, je vis une obscure revanche du démon sensuel qu'elle avait bridé depuis des semaines. Les combinaisons de jeu, brèves, violentes, que ses mains liaient et dénouaient, étaient pour elle comme les assauts de l'amour.

L'inévitable se produisit. La chance tourna. Elsa ne put le croire. Son acharnement grandit en proportion de ses revers. Elle mit quelques minutes à rendre ses gains.

Pour tout achever, elle perdit ce qu'elle n'avait pas eu l'intention de risquer. Je dus télégraphier à Paris pour emprunter la somme nécessaire à notre retour commun.

Elsa ne pouvait avoir de crédit qu'à l'hôtel *Monnier*. Ce fut là qu'elle et Max allèrent se loger de nouveau.

DEUXIÈME PARTIE

CHAPITRE PREMIER

Sur ceux qui ont passé les mois d'été près de la nature et presque dans la solitude, Paris, lorsqu'ils y reviennent, agit toujours avec une force neuve et violente.

Il semble que la ville immense, à l'orée de la saison du travail, des plaisirs et du tourment, réunisse tous les êtres qui la composent dans un même frémissement d'impatience anxieuse, d'avidité sans forme ni mesure.

Le soleil et la pluie ne comptent plus, qui réglaient l'existence, ni l'aube, ni le crépuscule. Une trépidation métallique ordonne les mouvements. Le ciel, qui donc encore l'aperçoit quand les rues charrient leurs tumultueuses coulées de pâte humaine et de métal ? Et lorsque vient la nuit précoce d'octobre, les lumières, par milliers, excitent, provoquent, affolent un troupeau qui a perdu le sens nécessaire de l'ombre.

Le tempérament d'Elsa était particulièrement sensible à cette influence. Sa beauté reconquise, ses forces rajeunies, les regards dont les hommes accompagnaient son passage, lui rendirent, aussitôt qu'elle eût respiré l'atmosphère de Paris, sa gaieté, son assurance dans l'avenir.

— Vous allez me prêter de quoi attendre huit

jours, dit-elle quand nous nous retrouvâmes. Je vous rendrai cela, dès que j'aurai signé un engagement. D'ailleurs il ne faut pas grand-chose. A l'hôtel on nous a très bien reçus. Nous avons repris nos chambres. Ils ont confiance. De ce côté, c'est réglé. Il ne reste donc que la question de la nourriture. Ça c'est plus sérieux. J'ai pris de l'appétit au Cran-aux-Œufs.

Elsa eut un beau rire carnivore. Les dents brillèrent entre ses lèvres qui me paraissaient extraordinairement rouges, parce qu'elle avait recommencé de les farder. Je crois bien que ce fut la dernière fois où je l'entendis rire ainsi.

Par un sentiment mêlé d'orgueil et de délicatesse, Elsa commença de chercher du travail sans mon aide, et même sans me tenir au courant de ses démarches. Mais il lui fallut vite avouer son impuissance.

Le *Rajah* n'existait plus. Il avait été remplacé par un établissement dont le style imitait les bals musettes. Roy Robinson était retourné à la troupe noire que seul un salaire beaucoup plus important lui avait fait quitter. De même que Gaby, il essaya de trouver à Elsa une place acceptable. Mais dans les établissements de luxe qui devenaient de plus en plus rares, les contrats étaient passés depuis longtemps. Dans certains autres que lui désignèrent ses camarades, Elsa souleva le rire ou la colère par son répertoire et ses exigences.

Elle vint me raconter ses déboires un à un, détail par détail. Je sentis qu'elle obéissait, par ce récit inutilement minutieux, à un scrupule touchant et puéril. Elle désirait me démontrer qu'elle avait fait tout ce qui était en son pouvoir, qu'elle avait épuisé jusqu'au dernier ses moyens personnels et que, si elle avait échoué, elle n'en était pas coupable.

Quand elle eut terminé cette sorte de plaidoyer, Elsa dit vivement :

— Mais ne croyez pas que je sois désespérée, ou même inquiète. Je dois aboutir, je le sais.

Sa voix sonnait faux. Ce n'était pas moi qu'elle cherchait à convaincre.

La pluie rayait la grande baie de mon atelier. Un ciel gluant de brume enveloppait la cime des arbres du parc Montsouris. Bien que la matinée fût avancée, le jour semblait encore dans les limbes.

Elsa se détourna du spectacle en frissonnant un peu.

— J'ai été folle, dit-elle, de ne pas vous avoir demandé secours tout de suite. Je ne voulais pas vous ennuyer. Mais puisqu'il le faut... (elle haussa les épaules et sourit faiblement)... Max m'avait bien prévenue que je n'arriverais à rien sans vous. Il vous croit un demi-dieu.

Pour ne pas détruire tout de suite cette confiance insensée, je demandai des nouvelles de l'infirme :

— Il a acheté des livres de classe chez un bouquiniste, dit Elsa. Il veut préparer seul les examens du lycée. En deux ans. Nous sommes pleins de courage tous les deux.

Je la regardai attentivement. Elle avait une figure ferme et fraîche, des yeux calmes, résolus. Son retour à Paris ne datait que d'une semaine.

*

Un mois plus tard, j'aurais pu croire que ce visage n'avait pas changé, si je ne l'avais pas vue pour ainsi dire et jour par jour mourir à l'espérance.

Les traits demeuraient intacts. Un maquillage discret rétablissait la fraîcheur du teint. La vie oisive et modeste qu'avait dû mener Elsa lui conservait encore les gains physiques de l'été. Mais l'angoisse avait pris possession d'elle et commandait les battements de ses paupières, les tics impatients de ses lèvres, la précipitation de la parole, le déséquilibre des gestes.

Malgré tous mes efforts, je n'avais pas mieux réussi pour Elsa qu'elle ne l'avait fait elle-même.

Sans doute, je ne manquais pas de relations dans le monde nocturne, mais aucune d'elles ne pouvait servir à mon amie. Les gens que je connaissais étaient des chauffeurs de taxis, des chanteurs russes faméliques, quelques garçons de la pègre, ou bien des compagnons de débauche.

J'avais pour camarades deux ou trois secrétaires de théâtre. Je leur amenai Elsa. Son accent empêchait qu'on l'engageât sur une scène sérieuse. Elle fut renvoyée de bureau en bureau sans résultat.

Je ne m'étonnais point de la vanité de mes tentatives. Je l'avais prévue. Mais pour Elsa le coup fut terrible. Quoi que j'eusse pu lui dire, elle avait cru en ma toute-puissance. Les chasseurs de Montmartre ne me saluaient-ils pas par mon nom ? N'étais-je pas journaliste ? Un mot de moi devait ouvrir toutes les portes. Quand elle eut constaté l'inefficacité absolue de mes actes, Elsa eut le sentiment qu'il n'y avait plus pour elle de refuge ni d'abri. Elle subit, d'un seul coup, l'oppression accablante d'une ville où elle était étrangère, inutile, perdue.

Moi-même, j'étais à bout de ressources, et j'avais épuisé pour Elsa toutes mes facultés de faux espoirs, de consolation et de mirages. Si bien que le jour où je n'eus plus rien, même de plus inconsistant, à lui proposer, je suggérai à Elsa de retourner en Allemagne.

— On vous connaît là-bas, lui dis-je. Vous avez un nom, des amis. Vous trouverez certainement des rôles à votre mesure et non pas...

— Taisez-vous! Taisez-vous! cria-t-elle avec un emportement furieux et terrifié. Pour rien au monde je n'irai chez ces bêtes féroces. Vous voulez donc me faire envoyer dans un camp, comme Michel? Je suis sa femme. Ça leur suffit. Et vous croyez qu'ils ne savent pas ce que je raconte de leur sauvagerie ici? Et que je m'occupe d'un petit juif qu'ils ont estropié? Et Max, faut-il que je le leur rende, pour qu'on l'outrage sans cesse, qu'on le batte... pour qu'il ne soit plus un être humain? C'est cela que vous voulez? Mais j'aimerais mieux mourir de faim avec lui sur un trottoir. Pour cela, soyez tranquille, je n'aurai besoin de personne.

Je renonce à peindre la répulsion et l'épouvante sans nom qui accompagnèrent ces reproches et ces plaintes. Il était évident que les nerfs d'Elsa avaient reçu des événements d'Allemagne une blessure dont ils ne se guériraient jamais.

Son effroi tenait du cauchemar. Pour avoir envisagé son retour parmi les monstres dont il était peuplé, j'étais devenu pour Elsa un ennemi. Sans vouloir m'entendre, elle me quitta en disant :

— Vous n'avez pas besoin de me faire passer la frontière pour vous débarrasser de moi!

CHAPITRE II

Sa rancune fut plus tenace que je n'aurais pu le prévoir. Des messages, des appels téléphoniques, deux visites que je fis à l'hôtel *Monnier* restèrent sans résultat.

Je ne parvins pas davantage à joindre Max. Il avait dû recevoir une consigne formelle de sa protectrice et, peut-être, partageait-il son indignation contre moi.

Quoi qu'il en fût, je n'entendis plus parler d'eux jusqu'à un soir de novembre.

Ce jour-là, faute d'argent, j'avais résolu de dîner chez moi. Ma femme de ménage m'avait laissé quelques provisions froides et je les expédiais en parcourant des journaux, lorsqu'on frappa à ma porte selon une cadence que nous avions établie avec Max, pour qu'il pût se faire immédiatement reconnaître.

Sans franchir le seuil de mon appartement, sans me tendre la main, mais ses grands yeux sombres fixés sur moi de façon à ce que je pusse découvrir toute leur gêne et toute leur anxiété, l'infirme dit lentement :

— Je vous prie de venir avec moi.

— Où ?

— Au café *Sans-Souci.*

94

— Pourquoi ?

— Madame Elsa a besoin de vous.

Je réfléchis un instant et demandai :

— C'est elle qui t'envoie ?

— Non, répliqua Max.

Une rougeur épaisse colora son visage.

— Pourquoi mens-tu, Max ? dis-je aussi doucement que je pus. Tu crois que j'ai mérité ça de ta
part ?

Les grosses lèvres de l'infirme commencèrent à
trembler. Mais il sut se contenir, et sa voix seule
porta le témoignage de sa détresse.

— Elle ne voulait pas, balbutia-t-il. Elle vous
appelle... mais par orgueil ne veut pas que vous le
sachiez... Moi, j'ai bien compris, quand vous lui
avez parlé de retourner là-bas, que c'était... c'était
pour son bien. D'ici, vous ne pouvez pas vous rendre
compte, bien sûr. Seulement, elle m'a défendu de
prononcer votre nom... alors, je ne pouvais pas en
cachette d'elle... elle a tout fait pour moi. Je continuais à vous aimer... J'attendais qu'elle change...
Mais de moi-même, je ne devais pas... Venez...
venez...

Il s'arrêta, me regarda avec désespoir, puis rapidement, honteusement :

— Et... et... je vous en supplie... faites-lui croire
que vous avez accepté sur ma prière... que... elle n'y
est pour rien.

— C'est entendu, Max. Je te le promets. Calme-
toi. Mais que se passe-t-il ? Elsa est malade ? On
vous a chassés de l'hôtel ?

— Non... non... Elle vous dira elle-même. Pour
l'hôtel, ils nous tolèrent encore. Je me suis arrangé.
J'aide au service. Je fais des courses. Quand il le
faut, je lave un peu de vaisselle.

Nous descendîmes l'escalier. Soudain, Max
agrippa mon bras.

95

— Ce n'est pas dur du tout, dit-il dans un souffle, seulement... j'ai peur... J'ai peur que de faire cela, je ne puisse plus, ensuite, écrire de belles histoires.

— Tu es fou, lui dis-je, avec une sincérité qui le rassura. Tout cela ne peut qu'être utile. Tout cela te sert à comprendre, à sentir la vie et les hommes. Ecoute, j'ai un ami...

Et je rapportai à Max l'aventure de Panaït Istrati, le conteur tuberculeux, affamé et génial qui, des plus humbles métiers a composé des récits sans pareils.

L'infirme m'écouta dans un ravissement qui dura pendant tout notre trajet. Il avait si bien oublié la misère et la tristesse où il se débattait que, l'autobus nous déposant place Pigalle, il dut faire un effort pour reconnaître l'endroit. Alors s'éteignit la joie dont son regard avait brillé, et les bras lâches, il se mit à boitiller en silence à mes côtés.

Quand nous fûmes sous les lumières du *Sans-Souci*, il me retint et dit :

— Je vais entrer le premier, la prévenir que vous êtes là... Elle est si nerveuse... elle...

Il secoua sa grosse tête sans achever et pria :

— Une toute petite minute, si vous voulez bien ?

*

Je n'eus pas à attendre, ni à jouer la comédie. Les battants de la porte vitrée s'ouvrirent sous une poussée violente. Elsa courut à moi, noua ses bras autour de mon cou.

— Dès que j'ai aperçu Max, s'écria-t-elle, j'ai deviné à sa figure que vous étiez venu. J'étais si sûre que vous ne voudriez pas... et moi, par fierté, par bêtise... Non, je ne veux plus penser à cela. J'avais peur d'un refus, alors que vous... Non, je ne mérite pas une amitié pareille... Et maintenant, je vous fais rester là dans la pluie, au lieu... Mon Dieu! Je perds complètement la raison... Mais si vous saviez! Allons. Allons vite...

Elle m'entraîna dans le café.

Je n'y avais pas mis les pieds depuis le printemps. Mais je trouvai, presque à la même place, les mêmes figures. Au comptoir, je vis les deux chauffeurs qui attendaient la sortie des cinémas. Près d'eux, la fille qui avait pour secteur le côté gauche de la rue Victor-Massé, buvait lentement un grog.

Félix Baïssou discutait à sa table habituelle avec un homme très court et très gros qui semblait uniquement occupé à contempler l'énorme bague chevalière autour de laquelle se gonflaient deux bourrelets. Emile, sans s'étonner, m'accueillit par ces mots :

— Un temps de saison, n'est-ce pas, Monsieur ?

Elsa me conduisit dans un coin où Max était déjà assis. Sur le marbre du guéridon, il y avait deux verres à moitié remplis de café au lait.

— Nous sommes sages, vous voyez, dit Elsa.

Elle avait un lamentable sourire d'enfant battu. Son visage avait maigri. Ses yeux étaient plus creux, plus grands. Un petit manteau froissé lui donnait je ne sais quelle pureté de mendiante.

Je comptai à tâtons la monnaie que j'avais dans ma poche et, prétextant n'avoir pas dîné, demandai des croissants et du thé.

Autrefois, Elsa m'eût remercié avec simplicité et avoué qu'elle avait faim. Ce soir, je la devinai seulement à l'effort qu'elle fit pour réprimer son impatience de ses mains. Pourtant, ce fut sans préambule, ni détour, ni confusion, qu'elle me déclara impérieusement :

— Il me faut de l'argent.

Stupide, je répétai :

— De l'argent ?

— Mais oui ! C'est clair pourtant ! cria presque Elsa.

Elle passa une main sur sa figure et murmura :

— Excusez-moi, je vous en supplie ; il me semble que tout le monde doit savoir. Depuis ce matin, je ne vis qu'avec cette pensée... Ecoutez... non... je n'aurai pas le courage qu'il faut... lisez vous-même.

Elle me tendit une feuille grisâtre, quadrillée et couverte d'une écriture allemande très nette.

C'était une lettre de Michel.

Il était malade. Surmenage. Cœur affaibli... On l'avait expédié dans l'infirmerie du camp. Mais la nourriture y était à peine meilleure que l'innommable bouillie que l'on servait aux internés. Le médecin lui avait accordé seulement deux semaines de repos — l'infirmerie était surpeuplée — et conseillait la suralimentation. En même temps, il l'avait autorisé à recevoir, de l'extérieur, des colis ou une centaine de marks afin d'améliorer son ordinaire. C'était le secours que Michel, sans le dire avec précision, venait demander à Elsa.

On devinait, aux formules hésitantes, à l'embarras de la main, à l'insouciance feinte, à la gêne du ton, on devinait la torture d'un homme fort et droit, accoutumé à protéger et soudain obligé de recourir à la protection de celle-là même qu'il avait gagnée par ses soins incessants.

Je me souviens encore du cri qui achevait cette lettre.

« Si je pense à ma santé, c'est seulement, mon amour, pour arriver à tenir, à travers tout, jusqu'à toi. »

— Eh bien ? me demanda Elsa à voix basse.

— Elsa, je suis... je suis... je n'ai pas un sou en ce moment... des dettes partout... Je ne puis rien espérer avant le début du mois prochain.

— Mais il sera trop tard ! Vous avez bien lu...

Michel a quinze jours en tout. Et déjà sa lettre est partie avant-hier. Il n'en reste que treize. C'est tout de suite... C'est tout de suite...

Elle serra ses mains l'une contre l'autre, si fort que j'entendis siffler la chair de ses paumes. Instinctivement, je voulus les prendre, les désunir.

Elle les arracha, poursuivant :

— Je ne peux pas le laisser mourir par ma faute... J'ai emporté tout ce qui restait à la maison. J'ai tout dépensé... Il m'a tout donné, lui... Et ce manteau que j'ai vendu... Cet argent que j'ai joué. Oh ! faites, faites quelque chose pour lui ou je deviendrai folle. Si vous le vouliez vraiment.

— Madame Elsa... murmura Max dont la figure était devenue d'une pâleur crayeuse.

Elsa, brusquement, laissa tomber sa tête contre ses bras noués. Des sanglots secouèrent sa nuque d'où s'élançaient en désordre ses cheveux cuivrés.

— Pardon... pardon... gémit-elle. Je deviens monstrueuse. Vous avez partagé avec moi comme un frère. Si vous êtes gêné à ce point, j'en suis coupable. Et j'ose vous reprocher... Mais je dois, je dois sauver Michel. Il faut que je fasse quelque chose. Je vais appeler au secours, demander la charité.

Elle se redressa, parcourut la salle d'un regard fiévreux.

Quelques consommateurs examinèrent curieusement cette femme qui criait et pleurait tour à tour. Mais c'étaient les moins nombreux. On avait l'habitude, au *Sans-Souci*, des scènes de ce genre.

Seul, Emile s'approcha de moi pour chuchoter :

— Si vous avez besoin d'un flic, vous me faites signe.

Dans les yeux d'Elsa qui continuaient à tourner à vide comme ceux des aveugles, parut soudain une expression lucide. Ils s'arrêtèrent sur l'une des figures orientées vers elle... la figure de Félix Baïssou.

— Celui-là, dit Elsa, en détachant les syllabes. Il peut !

Comment, dans son tumulte intérieur, avait-elle reconnu le marchand de femmes ? Avait-elle, dans ses moments de désespoir, sans vouloir se l'avouer, songé à lui ? Et la crise qui l'assaillit ne faisait-elle que cristalliser un obscur travail ? C'était possible. A moi aussi, quand les recherches vaines pour Elsa m'avaient par trop usé, à moi aussi, l'image de Baïssou était venue à l'esprit. Mais elle s'associait à un trafic, à des établissements si vils que, chaque fois, malgré ma lassitude, je l'avais rejeté hors de mon champ de conscience avec un dégoût furieux. Et ce fut le sentiment de retomber en des rets, pour ainsi dire, tendus à l'avance, qui, surtout, me fit répondre à Elsa :

— Vous n'y pensez point, j'espère ! Il y a tout de même des limites à...

Je voulais dire : « à la dégradation », mais le mot ne put sortir de ma bouche. Une pensée m'avait arrêté soudain : un acte, quel qu'il soit, peut-il se nommer dégradant, s'il est uniquement voué au salut d'autrui ?

Elsa ne s'était pas rendu compte de ma réaction brutale, ni de mon retrait. Elle dit :

— Vous connaissez cet homme, je m'en souviens, très bien. C'est lui qui vous a donné mon adresse. Il s'occupe d'engagements. Oui... oui... je sais... des endroits impossibles, mais allez lui parler pour moi, sinon, je m'adresse à lui directement.

Que pouvais-je faire ? Je laissai Elsa chuchoter des paroles vaines à Max dont le visage s'était vidé de toute expression et me dirigeai vers l'impresario.

Cette rencontre me parut alors une coïncidence atroce. Je ne le pense plus maintenant. Nous aurions fini par nous adresser à lui. Sauf par la mort, il est des solutions qui ne s'évitent pas.

*

— Baïssou, j'ai besoin de vous une seconde, dis-je brièvement.

Baïssou, qui m'avait reconnu dès mon entrée au *Sans-Souci*, — j'avais surpris à ce moment son regard —, feignit de me découvrir tout à coup.

— Eh bien ! en voilà une bonne surprise, s'écriat-il de sa voix la plus sonore. Un fameux revenant ! Ah ! ces artistes ! Asseyez-vous donc, prenez un verre, avec cet ami, faites connaissance.

— Je n'ai pas le temps, et j'ai à vous parler personnellement.

— Tiens... Tiens... personnellement ! J'en ai de la chance aujourd'hui ! Je te l'ai toujours dit, Oscar, s'adressa-t-il à son compagnon. Moi, les mardis, c'est des jours tout ce qu'il y a de bon pour moi.

Ce fut la seule revanche qu'il se permit de mes dédains et, peut-être, un pli méchant au coin de ses lèvres doucereuses.

— Voilà... voilà... reprit-il, je suis à vous.

Nous gagnâmes l'arrière-salle. Trois hommes sans cravates y jouaient au billard. Le plus sèchement possible, j'expliquai à l'impresario ce que j'attendais de lui.

— On revient toujours à papa Baïssou, je vous l'avais bien dit, soupira-t-il avec une bonhomie insupportable. Seulement, voilà ce qui arrive quand on s'y prend tard : les temps deviennent mauvais, les clients difficiles. Il y a de la concurrence, mon bon, il y a de la concurrence.

— Je ne vous demande pas vos opinions sur la crise, m'écriai-je. Oui ou non, voulez-vous trouver du travail à Madame Wiener ?

101

Ma grossièreté ne fit pas sourciller Baïssou. Il soupira plus fort encore.

— Hé oui... hé oui... Mme Wiener... Dites-moi, en ami, est-ce qu'elle s'engage à montrer sa zibeline dans le travail, Mme Wiener, au cas où papa Baïssou lui dénicherait quelque chose ?

J'étais au supplice. Mais il me fallait répondre.

— Il n'en est pas question. Elle ne l'a plus.

— Une chance de moins, et une grosse chance, gémit l'impresario. Mais elle danse, au moins ? Pas des choses compliquées, bien sûr. Dans le genre plastique, vous me comprenez, hein ! Ça fait valoir les formes !

Je perdis le peu d'empire qui me restait sur moi-même, et m'écriai :

— Dites-donc, Baïssou, vous avez fini ? Comme si je ne savais pas ce que l'on demande dans les boîtes que vous fournissez.

Je ne pensais pas insulter spécialement Baïssou par cette remarque. Je lui avais tenu des propos que j'estimais beaucoup plus blessants. Ce fut pourtant la seule fois où il me parut touché à vif. Et parce qu'il l'avait été, sans doute, dans un ressort essentiel.

Il y a très peu d'hommes, quand ils font un métier abject ou même douteux, qui consentent à l'appeler par son véritable nom. L'estime de soi-même est, sans doute, le sentiment auquel les âmes vulgaires renoncent avec le plus de difficulté. Ce besoin croît chez eux en proportion de leur bassesse même.

Qui pourrait savoir si Baïssou ne s'était pas sincèrement convaincu de sa mission artistique dans les cabarets de Montmartre ?

En tout cas, l'expression cruelle que prirent d'un seul coup ses traits, à l'ordinaire si bénins, me fit regretter mon impatience. La phrase que je lui avais dite, Baïssou ne le pardonnerait pas à Elsa.

Il se ressaisit très vite et répondit :

— C'est bien. C'est bien. Chacun ses opinions, pas vrai ? Papa Baïssou va se mettre en quatre pour vous faire plaisir... Elle n'a qu'à être ici demain à quatre heures votre Madame...

Il hésita imperceptiblement, mais le désir de commencer sa vengeance l'emporta sur ses habitudes :

— La Elsa, quoi... ajouta-t-il.

*

Je vins seul au rendez-vous. Après beaucoup d'effort, j'étais arrivé à persuader Elsa que sa présence était inutile. En cas de refus, elle évitait une humiliation pire que toutes les précédentes, j'en étais certain. Et si Baïssou consentait à la faire employer, je pouvais aussi bien l'en avertir moi-même.

L'impresario ne fut pas étonné de me voir. Jusqu'à la fin de nos rapports, il demeura assuré que j'étais l'amant d'Elsa.

— Vous défendez les intérêts de votre petite, me dit-il. C'est régulier.

« Elle est engagée, je vous l'annonce tout de suite. Toujours franc-jeu. C'est la devise de papa Baïssou. Ça n'a pas été tout seul, je dois le dire. Mais Dominique, de la rue Fontaine, c'est un ami. Je ne lui ai pas caché que c'était pour vous rendre service. Alors pas vrai, une petite note de journal par-ci, un petit écho gratuit par-là... Vous verrez vous-même...

— Les conditions ? demandai-je.

— Ah ! ça, faut vous arranger avec Dominique. Ça ne me regarde jamais. Et même, si vous voulez, allons chez lui. Autant battre le fer, hein, pas vrai ?

Pour n'avoir pas à dégager mon bras de celui que Baïssou tendait vers moi, je le précédai.

*

— Votre amie, Monsieur, je n'ai pas encore le plaisir de la connaître, déclara Dominique, mais j'ai confiance dans le goût de Monsieur Félix. Il sait le genre que je désire ici.

J'écoutais, dans la pénombre d'une salle humide et qui sentait mauvais, accoudé au bar devant un verre de mirabelle qu'avait tenu à me verser Dominique. C'était un petit homme rasé de près, de teint bilieux, maigre, mais le ventre en pointe.

Il disait, sur un ton de fausset, des phrases auxquelles il tâchait toujours de donner un sens profond. Il avait de son esprit une opinion très haute.

— Quel genre ? allez-vous me demander naturellement, Monsieur, continua Dominique. C'est la question, toute la question. Le succès d'une maison en dépend.

Il prit un temps.

— Aujourd'hui encore, mon cabaret porte comme enseigne *Au Feu*. Pourquoi ? Pour habiller les petites femmes en pompier. Un casque, un cache-sexe et tout le monde est content. Mais le public, de nos jours, est devenu difficile. Il faut changer. Cela ne m'effraie pas, remarquez bien. Je suis un homme à idées, moi.

— Il en est pourri, approuva Baïssou.

— Alors, reprit Dominique, vendredi prochain, je bouscule tout. Les artistes, le titre, le genre, tout. Ma maison s'appellera *Le Rotoplo*.

Un mouvement que je ne pus réprimer ravit Dominique.

— Ça porte, hein ? Ça frappe ? s'écria-t-il. *Le Rotoplo* ! A la gloire des belles poitrines. Et des seins sur le mur à droite. Et des nichons sur celui de gauche. Des femmes qui ont quelque chose à montrer dans la salle, et me voilà bon pour six mois au moins. Les hommes en ont assez des filles faites comme des planches. Surtout ceux de province. J'en ai beaucoup dans ma clientèle. Oui Monsieur, *Le Rotoplo,* et si le cœur vous en dit, vous pouvez profiter de la confidence par un petit article. On peut faire quelque chose de mignon avec ça.

Je ne répondis rien.

Dominique se versa un autre verrre de mirabelle, trinqua, but et reprit :

— Pour les appointements, ils sont ici de quinze francs par soir, plus dix pour cent sur les consommations que les artistes font prendre. Pour votre amie, et puisque c'est Monsieur Félix qui la présente, je consentirai vingt francs.

Mon hébétude, mon écœurement allaient jusqu'à la souffrance. Je connaissais tout des bas établissements de Montmartre et de leurs combinaisons. Mais c'était d'une façon abstraite, impersonnelle. Tandis que leur jeu terrible allait désormais s'appliquer à un être vivant, familier, de qui j'aimais l'expression, l'attitude et la délicate noblesse instinctive.

Pourquoi cependant aurais-je discuté ? J'étais certain, à l'avance de ne pas obtenir davantage. Le marché véritable, il avait été conclu, en dehors d'Elsa et de moi, entre Dominique et Baïssou, je le savais.

L'impresario avait entendu gémir Elsa. Il devinait que si cette femme s'adressait à lui, c'est qu'elle n'avait aucun autre recours. Et c'était un miracle qu'il n'eût pas réduit de moitié le misérable salaire pour toucher encore cette différence. Elsa ne le devait qu'à l'estime où me tenait Baïssou.

Il fallait en finir.

— Je vais parler de tout cela à Madame Wiener, dis-je rapidement. Elle décidera.

Comme j'ouvrais la porte, je me souvins du désir essentiel d'Elsa. Sans revenir vers le bar, je déclarai :

— En tout cas, il lui faut mille francs d'avance.

Je ne regardai pas les deux hommes. Pourtant je sus que leurs yeux se liaient.

— Entendu, me répondit Dominique. Ça comptera pour deux mois d'appointements, voilà tout. Je préparerai un petit papier.

Quelques minutes plus tard, j'étais devant l'hôtel *Monnier*.

*

Elsa et Max, maintenant, habitaient une seule chambre. Cette chambre était mansardée et donnait sur une cour. Deux lits de fer qu'un paravent séparait la remplissaient presque entièrement. Quand je vis ses dimensions, son papier souillé, son lavabo fêlé de toutes parts, je compris sans peine qu'Elsa eût préféré, la veille, me recevoir au *Sans-Souci*.

— Eh bien? demanda-t-elle avec autant d'anxiété que si elle avait attendu la plus enviable faveur.

— Vous avez votre engagement, lui dis-je. Mais vous ne pouvez pas.

— Pourquoi? Parlez... parlez vite! J'ai renvoyé l'enfant exprès. Je peux tout entendre.

Pour se libérer, pour se faire partager, pour interdire toute possibilité d'acceptation, mon dégoût usa des termes les plus crus, les plus répugnants.

— C'est une question de poids, de boucherie! m'écriai-je enfin.

106

Elle me contempla longuement. Puis elle sourit.

Je ne trouve malheureusement pas d'autre mot pour définir la ligne ou plutôt la déchirure qui se creusa entre ses lèvres à peine désunies.

— Non, vous n'y parviendrez pas, dit-elle enfin, d'une voix où le timbre faisait complètement défaut. Je ne refuserai pas ces mille francs.

— Elsa... Elsa... C'est impossible. L'argent dont vous avez besoin tout de suite, je m'en suis occupé. Ce soir, je vous le promets... je vous le promets ce soir.

Elle m'interrompit avec une fatigue immense.

— Ce soir ? Et demain ? Il ne s'agit même pas de Max, ni de moi, et pourtant, vous voyez ! (D'un mouvement de tête elle montra la chambre.) Mais croyez-vous que Michel sera sauvé parce qu'il aura reçu cet argent ? Qu'il ne lui en faudra plus ?

Elle s'anima brusquement, se raidit comme une somnambule.

— Toute la nuit, tout le jour, j'ai pensé à cela, s'écria-t-elle. Est-ce à vous ou est-ce à moi de le secourir ? Et puis quel... et puis... est-ce que j'ai le droit d'être difficile, quand Michel là-bas... Un cabaret de Montmartre, ce n'est pas tout de même un camp de nazis !

Elsa respira profondément et dit avec défi :

— On n'y prostitue pas les femmes de force, je pense, et plus l'endroit est immonde, plus vous pouvez être tranquille à mon égard.

Ainsi le sens du sacrifice et la certitude en sa force précipitèrent le destin d'Elsa. Précipitèrent seulement. De toute façon, elle était vouée à l'engrenage.

CHAPITRE III

« Sur une figure de putain maigre, on peut trouver quelque poésie. Les grasses n'inspirent que des sentiments d'étable. Ce n'est pas juste, mais on n'y peut rien. »

Cette sentence d'un camarade qui avait l'ivresse philosophique me revint à la mémoire le vendredi suivant, lorsque j'entrai dans le bar de Dominique.

Il avait bien choisi son troupeau pour le dessein qu'il m'avait indiqué avec tant de complaisance. La douzaine de filles attachées comme entraîneuses à son établissement étaient toutes fortes et massives. Leurs robes s'appliquaient à leur peau d'une façon qui soulignait chaque pli du corps. Les croupes étaient plus indécentes que si elles avaient été nues. Le haut des corsages découvrait obligatoirement le sillon profond, obscur, des gorges.

Une grossièreté pesante s'étalait dans la décoration du lieu. Les murs étaient couverts d'étoffes à bon marché et de couleur brun sale. Sur elles, on avait peint, avec des teintes qui rappelaient celles de la chair — crème, rose, safran —, par files, par pyramides, par monceaux, par avalanches, des seins, des seins, des seins.

A intervalles réguliers, un ventilateur mettait en mouvement ces draperies.

— Ça fait vivant, m'expliqua Dominique.

Il portait un smoking gras, mais strictement repassé et un faux-col très haut sur lequel sa figure paraissait plus bilieuse.

— Gros succès, poursuivit-il avec orgueil. Oui, Monsieur, je l'ai vu tout de suite. Ils aiment ça. (Dominique devint tout à coup très digne.) Les cochons !

La salle étroite et longue, pareille à un corridor élargi, était pleine, en effet. Une fumée épaisse, une rumeur vulgaire, flottaient sur elle. Des hommes, exclusivement, composaient le public.

Ils étaient, pour la plupart, d'une maturité avancée. La couperose marbrait leurs joues. Le penchant à la gloutonnerie, aux plaisirs rapides, avait affaissé leurs bouches. Mais on sentait, sous les vêtements fatigués, des nuques robustes, des torses lourds, exigeants.

Il y avait aussi quelques jeunes visages : calicots couverts de pommade et de boutons, sous-officiers de la garnison.

— Je vous fais mettre une table sur la piste ? me demanda Dominique. En se serrant un peu...

Je regardai le petit rectangle libre, ménagé au milieu de la salle et autour duquel se pressaient des figures avides que les danseuses au cours des exhibitions allaient effleurer de leurs hanches.

— Au contraire, dis-je vivement, je veux le coin le plus retiré.

— Je comprends, dit Dominique. Votre amie débute ce soir. Vous sentir trop près, elle pourrait s'intimider. Tout ça dépend du caractère.

— Oui, oui, murmurai-je, ne lui dites même pas que je suis là.

Par un accord tacite, il n'avait plus été question entre Elsa et moi de son engagement. Pensait-elle que je viendrais le premier soir de l'épreuve ?

Désirait-elle, redoutait-elle ma présence ? Je n'avais pu en décider.

Dans l'incertitude où j'étais de son souhait véritable, j'avais cédé au mouvement qui me poussait à m'occuper d'Elsa, fût-ce d'une manière passive.

Sa solitude et sa misère, la confiance qu'elle nourrissait à mon égard, son écartèlement intérieur, son combat désespéré pour Michel, et le fait aussi de la connaître mieux dans son existence secrète que tant d'hommes et de femmes qui m'approchaient depuis des années, me liait à elle de plus en plus.

Il me semblait que j'avais un devoir impérieux envers ce spectre de l'aube et de la fièvre, devenu si lisible pour moi et si misérable.

Et combien la pitié dans les relations qui durent est plus forte, plus efficace que le désir !...

J'étais trop familiarisé avec les usages qui ont cours dans les établissements pareils à celui où je me trouvais pour ne pas savoir avec certitude et, bien qu'elle ne m'en eût rien dit, les conditions imposées à Elsa.

Elle devait venir quelques minutes avant l'instant fixé pour son numéro, passer dans la sentine qui servait de « loge » aux « Artistes », se dénuder selon les exigences du patron et danser, c'est-à-dire montrer dans les attitudes les plus provocantes ses reins, sa gorge, son ventre, ses cuisses. Après cette formalité d'étalage, elle appartenait à la salle jusqu'à la fermeture. Chacun des hommes assemblés sous mes yeux, en payant un verre payait en même temps le droit absolu d'avoir Elsa contre lui, de contrôler le grain et l'élasticité de sa chair. S'il la trouvait à son goût, il pouvait lui en proposer l'achat. Certains même iraient jusqu'à lui parler d'amour.

L'heure était encore loin où l'alcool, l'insomnie,

l'attente de la luxure donnent aux mâchoires un relief bestial et au regard une affreuse fixité. Déjà cependant, des plaisanteries ordurières se mêlaient aux rires. Déjà, les femmes retenaient des mains qui glissaient sous leurs jupes. Leurs cris de petites filles blessaient les nerfs comme les grincements des ongles sur une vitre.

— Monsieur, ne voulez-vous pas me faire le plaisir d'accepter une boisson ? dit soudain une voix inconnue.

J'étais entièrement enfoncé dans ma rêverie désespérée et je ne pensai pas que cette invitation pût s'adresser à moi bien qu'elle eût été faite contre mon oreille.

La même voix prononça :

— Je vous demande pardon de vous avoir importuné, Monsieur.

Seulement alors je compris qu'on me parlait. Je tressaillis comme à un contact imprévu.

— Je suis vraiment confus, murmura en rougissant mon voisin.

Plein de stupeur, je regardai cet homme assez jeune encore qui s'exprimait dans une langue courtoise avec des inflexions douces et délicates. Ses traits étaient effacés, ouverts, un peu naïfs. Je remarquai le volume assez beau du front où des cheveux cendrés commençaient à s'éclaircir. L'expression de ce visage fit que je retins la réplique désagréable qui m'était venue instinctivement à l'esprit. J'eus l'impression de retourner à un air respirable.

Visiblement, mon voisin s'était installé à sa table depuis quelques instants à peine et attendait le serveur pour commander un breuvage. Nos yeux s'étaient croisés, il crut devoir s'excuser encore.

— Mais non, mais non, lui dis-je... Vous ne

m'avez pas dérangé du tout. Il est très naturel, quand on se trouve seul...

— N'est-ce pas ! Il faut être deux, au moins, pour s'amuser.

Puis précipitamment, il se présenta :

— Docteur Henri Harmelin, de Nantes.

Je lui dis mon nom.

— L'écrivain ? demanda-t-il.

Je me bornai à incliner la tête, mécontent d'avoir à entendre les politesses d'usage, mais le docteur Harmelin me dit :

— Je ne peux pas juger vos livres. Ils sont trop sensuels pour moi.

Je le considérai d'un regard incrédule, et m'écriai :

— Mais alors, qu'est-ce que vous faites ici ?

Il examina la salle pendant quelques secondes puis se mit à rire, disant :

Vous avez raison, ce n'est pas du tout ce que je voulais. Il m'avait bien semblé en entrant... Mais j'ai eu confiance en Rébesseau. La vérité, c'est que je ne suis pas venu à Paris depuis la fin de la guerre. Quand on veut se constituer une clientèle solide, on n'a pas beaucoup de temps à soi. Et si je suis là, c'est que justement, un de mes plus vieux clients, Rébesseau, l'armateur — vous ne le connaissez pas, par hasard, non ? —, eh bien, Rébesseau, en voyage ici, est tombé malade. Une congestion pulmonaire, pas très grave d'ailleurs. Mais il ne veut que moi pour le soigner et m'a appelé près de lui. Maintenant, il est hors d'affaire et je lui ai demandé, pour ma dernière soirée, de m'indiquer un endroit gai. Il m'a dit que c'était très drôle ici.

— Drôle !

J'avais répété le mot avec tant d'amertume que toute gaieté disparut des traits d'Harmelin.

Le besoin me vint-il alors d'excuser par avance

mon amie auprès d'un homme que, malgré une bonté manifeste, la forme de son existence empêchait de juger certaines apparences avec équité ? Je ne sais trop à quel motif j'obéis, mais je racontai au docteur Harmelin l'histoire d'Elsa.

Je tâchai de le faire aussi brièvement que possible. Cependant, je n'avais pas tout à fait achevé, lorsque l'héroïne de mon récit traversa rapidement la salle, en se dirigeant vers la petite porte qui donnait sur le local où elle devait se déshabiller.

— Ne levez pas la tête, dis-je au docteur. C'est elle. Je ne veux pas qu'elle me voie.

Nous n'échangeâmes pas un mot. Un roulement du tambour de l'orchestre arrêta bientôt les conversations. Dominique s'avança au milieu de la piste pour annoncer :

— La Vénus germanique. La danseuse aux belles formes.

Il attendit un instant et cria :

— Je les ai vues.

Une bordée de commentaires que je renonce à transcrire accueillit ces mots. Les doigts du docteur Harmelin, aux ongles ras, tremblaient légèrement. Il gardait son visage obstinément penché vers eux.

Je n'eus pas autant d'empire sur moi-même. Le panneau de bois qui allait s'ouvrir sur Elsa me fascinait et, même quand elle franchit le seuil qui la livrait, je ne pus changer l'orientation de mon regard.

Sauf une mince lanière d'étoffe rouge autour de ses hanches, le corps d'Elsa n'avait aucune protection. Mais ce ne fut point sa nudité qui me fit mal, ce fut un recul peureux, puéril, misérable. Ce fut un bras qui se leva faiblement pour retomber aussitôt. Ainsi essayent de se défendre les enfants vaincus d'avance et que l'on va frapper.

Il était inévitable que, au degré de tension où je

me trouvais porté, mes yeux fixés sur Elsa attirassent les siens. Je vis alors ses paupières fléchir et sentis qu'elle m'appelait.

Quand je fus près d'elle, Elsa chuchota avec un effort immense :

— Merci... oui, merci. Je pensais que ce serait plus facile si vous étiez là. Mais non... Il faut partir... tout de suite... et... je... et ne jamais revenir ici.

Je réglai mon whisky à la caisse. Une mélodie gluante me poursuivit jusqu'au carrefour voisin.

*

Je gagnai à pied le parc Montsouris.

Plusieurs fois, dans les quartiers pleins de silence, je fus arrêté par des devantures illuminées. Sous des étoiles bleues, plus brillantes que les véritables, dans une neige argentée, duveteuse, des personnages minuscules menaient une ronde féerique et muette. Les premiers étalages de Noël rayonnaient sur la ville endormie.

CHAPITRE IV

La sonnerie me réveilla aux environs de cinq heures du matin.

Je m'étais couché assez tôt et avais atteint cette dernière partie du sommeil qui est sans doute la plus profonde.

« Le téléphone », pensai-je et décrochai le récepteur. Rien ne répondit à mon appel.

« Une erreur de liaison ou un camarade ivre qui s'est lassé d'attendre », me dis-je encore et non sans irritation.

Puis, je tâchai de rejoindre au plus vite les sables noirs d'où l'on m'avait tiré. Je commençais de m'y perdre, lorsque le timbre aigu se mit à vibrer de nouveau.

Cette fois, je compris qu'on sonnait à ma porte. Je me dirigeai vers l'antichambre avec une colère prête à éclater contre le visiteur si tenace.

Mais la silhouette hésitante qui se tenait sur le palier obscur était celle d'une femme.

J'avais pour maîtresse, depuis le début de décembre, Danièle, une actrice qui ne concevait les relations amoureuses que rompues et renouées sans cesse par des coups de théâtre. Ma première pensée fut pour elle, quoiqu'elle n'eût jamais, jusque-là, choisi pour ses scènes une heure pareille.

— Eh bien! entre, lui dis-je.

Une voix morte murmura alors :

— Vous me tutoyez aussi ?

— Elsa! m'écriai-je. Il fait si noir et je dormais encore... Excusez-moi... Excusez-moi... je vous prie.

Le remords le plus brûlant m'assaillit devant cette sorte d'épave grise, affalée contre le mur. Lorsque j'avais abandonné Elsa aux clients de Dominique, je m'étais promis d'aller la voir le lendemain même. Des obligations imprévues m'en avaient empêché. Le jour suivant, je me sentis moins de courage. Cette détresse laide, lourde, irrémédiable, m'étouffait. Je remis à plus tard ma visite.

Mais alors commença ma liaison avec Danièle. Ses péripéties m'occupèrent entièrement. Quand je pensais à Elsa, c'était pour me dire qu'elle-même m'avait demandé de la laisser.

Et déjà l'année arrivait à son terme.

Elsa demeurait toujours sans mouvement et, semblait-il, sans force.

— Venez... Venez, lui dis-je, en la prenant par le bras.

Mais dès qu'elle eut senti mon contact, Elsa recula d'un mouvement violent, presque sauvage, comme pour échapper à quelque contagion mortelle. Puis elle dit :

— Laissez-moi passer.

Je m'écartai du seuil. D'un pas d'automate, Elsa pénétra dans l'appartement. Une faible lampe de chevet donnait à mon atelier une clarté insuffisante. Je voulus appuyer sur le bouton qui commandait une rampe lumineuse dissimulée le long de la corniche.

— Non... non... ordonna Elsa.

Elle parlait avec une autorité saccadée, mécanique. Tous ses gestes étaient rigidement gouvernés.

116

On eût dit qu'elle avait acquis le droit de tout exprimer, de tout faire, sans s'inquiéter de ce qu'en pouvait penser un témoin.

Elle me rappelait les gens qui retournent à la vie après un péril immense ou qui, au contraire, viennent d'apprendre qu'ils portent en eux un incurable mal.

Elsa se tenait debout au milieu de la grande pièce. Son visage était noyé d'ombre, mais je vis qu'elle était sans chapeau et que, de ses cheveux en désordre, des mèches tombaient sur ses épaules. La main gauche était convulsivement crispée et tirait tout le corps de son côté comme un poids excessif.

Je demandai :

— Un accident ? Une agression ?

Elsa ne répondit pas et commença de trembler.

Je me tus, pensant que la détente était proche et qu'Elsa parlerait spontanément. Mais elle continua de fixer sur la petite tache ambrée que faisait la lampe un regard dont le demi-jour dérobait l'expression. Elle ne s'apercevait pas des frissons qui la parcouraient sans répit.

Bientôt ce silence de possédée me fut intolérable. De nouveau, j'interrogeai Elsa :

— C'est vous qui avez sonné la première fois ?

Elle répliqua, et c'était visiblement à elle-même qu'elle s'adressait :

— J'ai cru que vous ne vouliez pas m'ouvrir parce que vous n'étiez pas seul.

Après une longue pause, elle poursuivit son soliloque à haute voix. (Sans doute ses pensées étaient séparées les unes des autres par des intervalles blancs, des trous.)

— Ou parce que vous aviez deviné ! dit Elsa.

— Deviné quoi ?

— Rien... rien...

Elle porta la main droite vers ses cheveux puis la

laissa retomber. La gauche, serrée en poing, pendait toujours, lourde, lourde.

— Ça m'était égal, reprit Elsa. J'ai attendu que la force me revienne de nouveau pour sonner. Il fait trop froid dans la rue.

Seulement alors elle se rendit compte qu'elle grelottait et observa de la même voix éteinte, indiscutable :

— Ce n'est pas pour ça que je tremble. Ici j'ai chaud. J'ai trop chaud. J'étouffe.

Elle vit le mouvement que j'ébauchais pour enlever de ses épaules un petit manteau froissé. Un cri rauque... terrifié, la secoua tout entière :

— Ne me touchez pas.

Elle retomba à son impassibilité anormale.

— Vous dormez avec les fenêtres fermées, remarqua-t-elle soudain. Le chauffage central dessèche l'air. Ce n'est pas sain.

En hésitant et sans bouger — si grande était ma crainte de rompre cet équilibre que je sentais tenir à un fil — je proposai :

— Je peux ouvrir plus largement.

Elsa se dirigea elle-même vers l'embrasure que formait la baie assez vaste par où l'atelier donnait sur le parc Montsouris. Je la laissai faire. Elle tira les rideaux, fit jouer les mécanismes dont l'un relevait un store de bois et l'autre la longue et large vitre. Elle accomplit tous ces mouvements en tenant son bras gauche collé contre son flanc et la main toujours nouée. On eût dit qu'elle avait le poignet paralysé.

Un souffle glacé, d'une pureté de prairie prise de givre, entra dans la pièce. Sous les globes électriques scintillait doucement le gazon humide des pelouses.

Elsa se pencha sur la courte rampe de fer forgé... se pencha davantage... Je m'approchai d'elle aussi vivement que je le pus.

— Elsa ! voyons... dis-je très bas.

Elle secoua la tête et murmura :

— Non... non... Ça me fait du bien... C'est tout.

En effet, elle tremblait moins. Son épaule gauche reprit un peu de souplesse. Elle desserra les doigts qui jusque-là s'étaient tenus rigidement appuyés contre la paume. Un fragment de papier meurtri s'en échappa.

L'appel de l'air le fit voleter un instant dans la pièce puis il vint tomber sur le divan où je couchais. La petite lampe l'éclairant, je vis que c'était un morceau de billet de banque.

— Ah ! oui, dit Elsa qui avait suivi ce trajet avec une sorte de curiosité abstraite, ah ! oui, c'est l'autre moitié... La première, je l'ai ici...

Elle ramassa le sac dont elle s'était défaite pour ouvrir la baie et en tira un lambeau pareil à celui qui frémissait contre les couvertures rejetées. Puis, de sa démarche de somnambule, Elsa alla jusqu'au lit, mit les deux fragments côte à côte, les repassa du plat de la main, les ajusta avec soin. Les déchirures s'adaptèrent exactement.

Elsa hocha la tête et dit en se tournant vers moi :

— Vous voyez, ça va très bien, très bien.

J'entendis à peine ce murmure égaré. Toute mon attention était prise par le visage qui se trouvait placé à cet instant juste au-dessus du seul foyer lumineux de la pièce. Pourquoi portait-il ces taches sombres sur les joues ? Pourquoi les yeux étaient-ils si caves qu'ils semblaient repoussés au fond d'une figure que je reconnaissais mal ? Et ce feu dans les prunelles, feu sans expression humaine, fixe, dément...

Si Elsa ne disait pas tout de suite ce qui l'avait jetée chez moi, si elle ne se libérait point de son intolérable solitude intérieure, elle allait perdre la raison, j'en fus assuré.

Le souvenir de son mari, né d'une association toute fortuite d'idées fixes, la sauva.

— Il faudra les coller ensemble, reprit-elle en agitant faiblement les deux morceaux du billet de banque et sans changer son intonation étrange, son impérieuse passivité... Oui, les recoller parfaite-ment... C'était le service que je voulais de vous... Et puis encore quelque chose... Attendez... Oui, oui, je sais. Puis vous enverrez le billet à Michel... à Mi...

Elle tressaillit tout à coup, me regarda comme si elle venait de me reconnaître. Une souffrance, une épouvante de suppliciée déformèrent son visage. Mais je fus heureux de ces sillons furieux par lesquels la douleur libérait la figure d'Elsa. Depuis qu'elle était entrée dans mon atelier, c'était la première fois qu'elle prenait une expression humaine. Et la rémission enfin lui fut accordée qui désunit ses membres, tordit son corps, arracha de sa gorge des cris de bête et d'enfant, précipita sur ses joues le ruisselant bienfait des larmes, la plongea dans les limbes de l'évanouissement.

*

La conscience revint à Elsa plus vite que je ne l'avais prévu. Transi de froid et craignant une congestion pour cette femme haletante et en sueur, j'étais en train de baisser la vitre de la baie, lorsque retentit un appel désespéré.

— Où êtes-vous ? Où êtes-vous ? J'ai peur...

Elsa s'était redressée à demi dans un fauteuil où je l'avais portée. Me voyant revenir près d'elle, elle se mit à implorer :

— Il ne faut pas me quitter encore. Je n'ai pas le droit de demander... je sais, je sais... mais je vous en prie, soyez bon, soyez patient. Cela va passer, je vous le promets. Laissez-moi ici, près de vous. Pas

longtemps. Je ne vous ennuierai pas longtemps...
quelques minutes, ce n'est pas beaucoup. Quelques
minutes.

— Je vous en supplie, Elsa, murmurai-je. Vous
savez bien que vous pouvez rester chez moi tout le
temps qu'il vous plaira. Calmez-vous... calmez-
vous.

Je posai ma main sur son front. Elsa la saisit,
l'embrassa avec emportement.

Je m'écriai :

— Pourquoi faites-vous ça ?

— Il le faut, il le faut, répondit-elle.

Et comme je libérais brusquement mes doigts,
elle poursuivit :

— Vous ne pouvez pas savoir. Je n'ai plus que
vous au monde. Parce que... parce que Michel...

Des sanglots la rejetèrent contre le dossier du
fauteuil.

Mon désarroi était tel que je pensai tout d'abord
que Michel était mort. Mais l'absurdité de cette
hypothèse m'apparut en même temps que le souvenir de la recommandation que m'avait faite Elsa
d'envoyer le billet déchiré à son mari. Etait-il
gravement malade qu'elle désespérait de sa vie ? Ou
peut-être avait-elle appris qu'il aimait une autre
femme, avait voulu dans un moment de fureur
détruire le secours qu'elle lui destinait puis, n'ayant
plus la force d'accomplir ce qu'elle estimait son
devoir, m'avait chargé de réparer son geste ?

Je posai toutes ces questions à Elsa. Le plus
importun, le plus harcelant des interrogatoires
valait mieux pour elle, je le sentais, que de la laisser
de nouveau s'enfermer dans un silence de folie dont
elle ne sortirait plus. Mais j'étais loin d'être sur la
trace du secret qu'il lui était en même temps
nécessaire et impossible de me confier.

A chacune de mes tentatives, elle répondait :

— Non... non... Michel n'y est pour rien... C'est moi qui...

Et chaque fois une contraction spasmodique lui nouait la gorge, l'empêchait de continuer.

A la fin je me rendis compte que je n'obtiendrais jamais d'elle une confidence directe, sans préparation. Alors, je lui dis :

— Ecoutez, Elsa, je me sens très coupable envers vous. Pendant trois semaines, je n'ai pas cherché à prendre de vos nouvelles. Si vraiment, vous ne m'en voulez pas, vous devez me raconter tout ce qui s'est passé depuis que nous nous sommes quittés. Voyons, je vous ai laissée au moment où vous étiez... enfin... où vous deviez danser.

Malgré le ton d'assurance et d'autorité que je voulais prendre à tout prix, j'avais hésité aux dernières paroles. Je craignais de ressusciter pour Elsa une impression trop cruelle. La malheureuse avait dût passer par bien d'autres traverses car elle parut s'animer au souvenir de celle-ci. L'habitude vient vite à qui se déchire davantage à chaque degré d'une ascension, ou d'une chute, de considérer le premier comme bénin.

De plus, tout ce qui pouvait distraire Elsa de son obsession actuelle lui était secourable. Et peut-être aussi craignit-elle, dans l'état incompréhensible pour moi qui était le sien, qu'elle ne pourrait rester chez moi si elle me désobéissait. De sorte qu'elle parla presque volontiers.

— Oui, oui, je me rappelle très bien, dit-elle. J'avais si peur. De quoi, mon Dieu ?

Elle m'expliqua alors que ces regards qu'elle redoutait si fort, un brouillard les lui avait dérobés. Docilement, elle avait suivi les indications de la musique. Puis elle était revenue au vestiaire. Elle avait eu un très vif succès.

Je ne pus discerner si elle prononça le mot avec

ironie ou avec une satisfaction puérile. Ce doute me fit mal. Le soir de ses débuts, à coup sûr, Elsa ne me l'eût pas inspiré. La rouille du métier, le besoin de relever à ses propres yeux un métier indigne agissaient déjà. Et mêlé à tout cela, l'instinct de l'actrice.

Le reste de la soirée n'avait pas été déplaisant pour Elsa. Quand elle avait regagné la salle, un homme l'avait invitée. Il attendait visiblement qu'elle parût. Un homme d'une courtoisie, d'une délicatesse parfaites. Pour la retenir près de lui jusqu'à la fermeture de l'établissement, il avait commandé d'un seul coup plusieurs bouteilles de champagne. Dominique avait été ravi. Le provincial également.

— C'était un médecin de province, dit Elsa. J'ai perdu la carte qu'il m'avait donnée avec son nom et celui de sa ville. Il partait le matin même et m'assura que si j'avais besoin de quelque chose je pouvais m'adresser à lui. Naturellement je ne l'ai pas cru. C'est quelque fou.

Le lendemain tout changea. Elsa commença de connaître les clients habituels de Dominique. Son succès même, le fait que les plus grossiers sentaient en elle une essence physique et morale différente de celle à quoi les avaient accoutumés les femmes de l'établissement, valurent à Elsa des assauts chaque fois plus poussés. Elle devait s'asseoir contre des hommes qui lui faisaient horreur, les faire boire, boire avec eux, supporter leurs mains sur sa gorge, sur ses cuisses. Quand ils cherchaient à poursuivre encore plus avant leurs tâtonnantes recherches et qu'Elsa se plaignait à Dominique, il répondait invariablement :

— Tu es assez grande pour te défendre mon bébé.

Il l'avait tutoyée aussitôt après mon départ.

Or, même de ces épreuves, Elsa ne parlait point

avec l'irrémissible répulsion, avec la gêne torturante que j'avais redoutées et dont, soudain, je me surpris à désirer ardemment un réflexe, un écho. Là aussi l'accoutumance avait agi comme un stupéfiant.

— J'ai vu bientôt que la meilleure défense était de ne pas faire attention, expliqua Elsa.

Tout en repoussant les essais trop vifs, elle se contraignit à l'indifférence, elle apprit à poursuivre des pensées vagues et à calculer la part qui lui reviendrait sur les boissons qu'elle aiderait à faire consommer. Sans l'avoir voulu au commencement, elle était de beaucoup la meilleure entraîneuse chez Dominique. Cette activité doublait presque son cachet. Elle entrevit au bout d'une dizaine de jours qu'elle pourrait, en un mois, éteindre sa dette.

— Cela me donnait du courage, continuait Elsa. L'alcool aussi. Evidemment je buvais beaucoup.

Est-ce à l'alcool que dut sa force maladive le désir dont, à partir du milieu de décembre, Elsa fut prisonnière ?

J'en demeure persuadé, car aucun sentiment ne peut justifier l'importance dévorante que prit chez elle ce désir, en somme secondaire.

Les conversations, l'atmosphère des rues, tout annonçait les fêtes prochaines et le lever d'une année neuve. Ces journées sont singulièrement cruelles pour les solitaires, les exilés, les déchus. Ils se sentent en marge, et chassés de l'univers en joie. L'idée qui vint à Elsa lui permit d'échapper au poids de cette condition.

Ce fut en m'exposant ce qu'elle avait conçu qu'Elsa commença de montrer une agitation qui allait croître jusqu'à la fin de son récit.

— Je pensais que Michel avait froid à mourir, s'écria-t-elle. En Prusse-Orientale les hivers sont terribles. Oh! s'il pouvait recevoir un vêtement chaud, en cadeau de Nouvel An. De moi. Vous comprenez. De moi. Il m'a tellement donné à chaque fête. Pour Noël dernier c'était ce manteau que vous avez vu. Je pensais : si cette fête je pouvais, à mon tour, comme ce serait bien... Comme ce serait gentil.

En propos décousus, maladroits, Elsa me fit assister aux progrès de son obsession. Elle avait lutté pour le seul être au monde qui la rattachât à son identité véritable, dont le souvenir la tenait encore suspendue au-dessus du cloaque où tout ce qui était vraiment elle s'effritait, se dissolvait. Plus l'enjeu de ce combat était volontaire, gratuit, plus il lui devenait indispensable. Elle l'avait mené en se nourrissant exclusivement de sandwiches arrachés aux clients de Dominique et en buvant chaque jour davantage. Elle n'avait que ce moyen pour arriver à son but. Elle comptait et recomptait ainsi qu'un trésor les tickets sur lesquels, ses comptes faits, Dominique inscrivait le pourcentage de chaque entraîneuse.

Mais, comme toujours, à l'approche des fêtes, les établissements de nuit se vidèrent. Celui où travaillait Elsa ne put échapper à la règle. Dominique se montra impitoyable dans son refus quand Elsa vint lui demander une avance, bien que celle qu'il lui avait consentie fût remboursée aux trois quarts.

« On verra l'année prochaine, avait-il répondu, après les fêtes. »

— Après les fêtes, cria Elsa avec une voix si aiguë que je tressaillis.

Elle vivait une seconde fois ces heures de hantise et d'impuissance. Elle répéta :

— Après les fêtes !... je me souciais bien de ce qui pouvait arriver après les fêtes. C'est à la Noël, pour le moins, qu'il me fallait faire mon envoi. J'avais déjà vu, rue Notre-Dame-de-Lorette chez un petit fourreur, une occasion : une veste canadienne. Il me la laissait pour quatre cents francs... Non, non, s'écria-t-elle impatiemment, je ne voulais pas vous les demander. C'était moi et moi seule qui devais, par mon travail... Ou bien ce n'était pas la peine.

Elsa, sans s'en apercevoir lacéra le mouchoir qu'elle tenait et reprit sourdement :

— Alors... alors... je me suis adressée à Monsieur Louis... Non, je ne connais pas son nom de famille. Les serveurs, Dominique, ses amis l'appellent ainsi... Comme les autres, tous les autres, il me proposait de venir chez lui après la fermeture. Personne ne me dégoûtait autant. Pas parce qu'il est le plus laid ou le plus sale... au contraire... mais parce qu'il se croit le premier de cette terre.

Au portrait que me fit Elsa de Monsieur Louis, il me sembla reconnaître un personnage qui, par son insupportable comportement avait attiré mon attention dans l'établissement de Dominique. Je me souvins d'un homme d'une cinquantaine d'années, sanguin, qui parlait très haut et écoutait avec satisfaction le moindre de ses propos. Il en surveillait jalousement l'effet sur une demi-douzaine de convives qui, de loin, sentaient les parasites. J'avais pensé tout de suite qu'il appartenait à ce type assez répandu de gens qui, ayant acheté à peu de frais quelques consentements serviles, se prennent à leur propre marché, se mettent au-dessus du commun et jouent aux despotes. Ces gens se croient surtout irrésistibles pour une catégorie de femmes que leur instinct choisit toujours parmi celles qu'ils sont d'avance assurés d'obtenir.

— Tu ne veux pas ce soir ? disait-il à Elsa chaque fois qu'elle avait refusé de le suivre. Patience. Tu viendras demain. On ne se paye pas tous les jours un mandataire aux halles, mon Mimi.

Il avait été le seul à peu près à fréquenter

assidûment chez Dominique pendant la semaine creuse. La veille du jour où nous étions, il avait remarqué le visage décomposé d'Elsa quand elle eût perdu l'espoir dont elle s'était bercée depuis des nuits et des nuits. Il lui demanda la raison de sa tristesse. Il le fit assez adroitement pour qu'elle le crût apitoyé et se confiât à lui.

— Savez-vous ce qu'il a fait ? me demanda brusquement Elsa.

Ses yeux si doux à l'ordinaire et que rien, semblait-il, ne pouvait durcir prirent une expression meurtrière. Sa respiration devint sifflante tandis qu'elle continuait :

— Il a tiré de sa poche un paquet de gros billets en disant : « Il y a de quoi acheter vingt manteaux à ton homme. » Puis il les a remis dans son portefeuille tranquillement. Mais il en laissa un, de cinq cents francs, sur la table et le déchira en deux et il dit : « Une moitié est pour toi. L'autre, si tu la veux, viens la prendre chez moi, mon Mimi. »

Elsa me regarda d'une telle façon que je compris qu'un assassinat lui semblait moins criminel que cet acte. Je partageai son sentiment.

— Je suis sûre, sûre à en mourir s'écria-t-elle, et que Michel aussi en meure, que pour le billet entier je n'aurais même pas eu l'idée d'accepter. Mais sentir dans ma main la moitié... la moitié inutile... Je me voyais rapprochant l'autre... la collant... C'était atroce... j'avais soif... soif... mais pas d'eau, pas d'alcool... Une soif que je ne peux pas dire. C'est la ligne cassée du billet qui me la donnait, je crois. Les autres déchirures devaient si bien s'appliquer aux *miennes.* Si bien. Je ne pensais plus à Michel, à rien. Je ne pouvais plus penser qu'à cela... Seulement quand je fus chez lui, il m'emmena tout de suite dans sa chambre et je sentis que c'était au-

127

dessus de mes forces. Je n'eus plus devant les yeux cette ligne en zigzag. J'ai voulu m'enfuir, il s'est mis à crier je ne sais plus très bien quoi... qu'il n'admettait pas... que je me moquais de lui... qu'il me ferait expulser. Il s'est jeté sur moi. Je ne me suis même pas défendue. J'avais peur qu'il me fasse renvoyer en Allemagne. Mais lui, tout de même, il m'a serré le cou, frappé la figure... J'ai eu très mal... Je n'ai pas perdu connaissance à cause de ça peut-être... Ensuite, je suis allée vers la porte. Il m'a rappelée, m'a donné cette moitié... oui cette moitié-là, je la reconnais. La mienne était un peu plus grande... Alors j'ai pensé... à vous prier, vous, d'envoyer à Michel... Parce que moi, n'est-ce pas, je ne peux plus. Je ne pourrai jamais. Et lui...

Des sanglots secs la faisaient hoqueter. Ses yeux arides reprenaient une fixité sans expression. Elle recommença de penser à haute voix.

— Quand un homme vous plaît, on a le droit. C'est propre. C'est beau. Et pourtant je n'ai pas voulu à cause de Michel. Et avec celui-là, celui-là qui est pire que tout au monde, je l'ai fait... pour une moitié de billet.

— Mais c'était à cause de Michel ! m'écriai-je à bout de nerfs et de pitié.

Cette protestation, si elle arriva aux oreilles d'Elsa ne pénétra pas jusqu'à sa compréhension. Elle me demanda :

— Vous enverrez l'argent, dites ? Merci... Il faut maintenant que je m'en aille.

Elle se leva pour retomber aussitôt.

— Et Max, gémit-elle. Il va demander que je l'embrasse. Et c'est impossible.

— Vous allez rester ici, dormir ici, dis-je brusquement.

Elsa me considéra d'un regard craintif. Mon offre lui paraissait un don démesuré, incompréhensible.

— Oh! c'est vrai?... balbutia-t-elle. Je peux? Dans ce fauteuil?

— Vous prendrez le lit. Je me suis couché très tôt et n'ai plus sommeil. D'ailleurs il fait jour et j'ai à travailler.

Une brume translucide semée de perles bleues enveloppait dans le parc les arbres et les allées. C'était le gage d'un beau jour d'hiver. Elsa ne le remarqua point. Ses yeux craintifs allaient de moi à mon divan.

— Mais je... je ne peux pas, chuchota-t-elle, tandis qu'un flux de sang empourprait son visage.

Cette rougeur me fit comprendre ce qu'Elsa ne savait pas dire : le sens de son indignité.

Rien n'est plus atroce que de voir s'humilier, sans recours ni remède, un être innocent et qui vaut, en substance humaine, mieux que celui dont il se croit à jamais l'inférieur.

Je criai presque :

— Elsa je vous défends...

Devant l'effroi qui se peignit sur son visage je dus me contenir.

— Si vous avez un peu d'amitié pour moi, lui dis-je, vous allez vous étendre.

Elle fit vers le lit un mouvement qui, aussitôt, s'arrêta. Je sentis que, moi présent, elle était incapable de consentir à ma demande. Je poursuivis :

— Vous allez être tout à fait tranquille. Je vais sortir, j'enverrai l'argent. Puis j'ai des courses à faire. Mais vous me promettez de vous coucher?

Elle fit un geste de la tête à peine perceptible. Je passai dans la salle de bains.

Comme je finissais de m'habiller j'entendis un

chétif murmure. Comme pour diminuer la gravité de la souillure, Elsa me disait :

— Je dormirai très bien toute vêtue.

Je ne répondis pas. Une sorte de pierre aiguë m'écorchait la gorge.

CHAPITRE V

Et je repris ma vie.

Vie pareille à la plupart des autres, égoïste, fragmentée, stérile, quand le hasard parfois ne se charge pas de la féconder.

Cette fois, pourtant, je n'avais pas l'excuse d'obéir au vœu d'Elsa. Je sentais que ma présence lui eût été salutaire. J'étais le seul à tout savoir d'elle, le seul à qui le plus difficile des aveux ayant été fait, elle pouvait tout dire.

Mais à ce rôle de confident, mon utilité se bornait. Et j'avais beau sentir qu'il est des épreuves où un cœur attentif est plus nécessaire qu'un secours matériel, l'emploi me pesait.

« Rien, pensais-je sans me le confesser nettement, ne me viendrait d'Elsa qui pût égaler en pathétique, en intensité d'émotion, son arrivée démente, son effroyable humilité. Elle m'ennuierait maintenant. »

Je me donnais le mauvais prétexte que, à la revoir, j'affaiblirais la pitié et le respect singulier que m'avait inspirés son malheur.

En ce temps-là, j'eus à m'occuper d'un projet de revue qui, d'ailleurs, échoua. Mes amours avec Danièle achevèrent de dévorer stupidement mes heures libres.

Je ne répondis même pas à une lettre que le docteur Harmelin avait envoyée à mon éditeur et dans laquelle il me demandait l'adresse d'Elsa. « Je n'ai pas osé le faire moi-même, écrivait-il, de peur qu'elle ne se méprît sur mes intentions. »

Par moments, je me souvenais de Max avec une amitié vraie et le désir de le voir. Là encore, je remis sans cesse la décision au lendemain.

Je fis si bien que le dégoût me vint de Paris, c'est-à-dire de moi-même. Pour fuir, je proposai à un journal un sujet d'enquête lointaine qui fut accepté.

Rentré seulement au mois de mars, il me fallut en dix jours rédiger deux douzaines d'articles. Puis j'eus besoin de prendre ma revanche contre les chemins déserts et périlleux le long desquels j'avais erré, et aussi contre mon travail.

Il m'avait rapporté quelque argent. Je le consacrai à la débauche.

Les pistes des plaisirs nocturnes suivent en général les mêmes détours. Pour peu qu'on les pratique avec assiduité, elles deviennent vite des ornières d'où l'on ne s'évade plus. Je retournai donc à Montmartre et, dans Montmartre même, aux endroits que j'avais fréquentés à l'ordinaire. Et, sans m'en apercevoir, plus d'un an ayant coulé, après une maladie grave, des semaines studieuses, une liaison qui avait paru devoir m'engager pour longtemps dans ses remous orageux, après un voyage magnifique et dangereux, je me retrouvai chaque matin — alcoolisé, vide, à moi-même étranger — au *Sans-Souci*.

Je repris ma place familière, mes conversations avec Emile.

Et, un jour, je vis passer de nouveau celle que j'avais complètement oubliée.

*

Elsa.

Oui. Cette torsion des cheveux de cuivre brun sur le cou si blanc, je ne pouvais m'y tromper. Mais pour le reste, qui donc eût été capable de reconnaître en elle le spectre fascinant de l'autre hiver ?

Un chapeau sans forme déshonorait la magnifique chevelure. Un tailleur trop court et mal équilibré coupait la ligne du corps autrefois noble, voluptueux et secret. La démarche était avilie par les talons peu sûrs. On sentait que les souliers prenaient eau.

Elsa ne se pressait pas. Elle n'avait plus d'adversaires à fuir.

Elle avançait les bras ballants, veules. Un homme l'accompagnait. Ils ne parlaient pas. Le moins averti des rites de la nuit eût deviné quel besoin, pour une heure, les accouplait.

Au premier instant, je demeurai sans respiration. L'insomnie aidant, cette apparition me semblait un faux hasard, un rappel du destin, une page illisible. Pourquoi à une année de distance cette femme passait-elle encore devant le *Sans-Souci* ? Et de telle manière que je fusse en état de mesurer, d'un seul regard, l'affreuse route qu'elle avait parcourue.

Mais très rapidement, me vint à l'esprit l'explication naturelle de cette rencontre. Elsa se rendait à son hôtel. Elle devait passer devant le *Sans-Souci*. Qu'elle emmenât un homme ne changeait rien à son itinéraire. Elle s'était faite au métier. Elle recevait chez elle. Je m'amusai un instant de moi-même et allais passer à d'autres soucis lorsqu'une pensée chassa de mon cerveau les fumées et la fatigue.

Des hommes chez Elsa. Et Max ?

Ils habitaient, quand j'avais quitté Paris, la même chambre.

Alors...

Je voulus arrêter le cours de mes déductions. Mais des images odieuses m'assaillaient invinciblement. J'avais trop traîné à travers la vie et le peuple nocturnes, aux heures où tout se dénoue, se défait, se dissout, pour ne pas savoir à quelles promiscuités monstrueuses pouvaient mener la misère, l'étroitesse des logis, l'atonie de la sensibilité, l'alcool, le stupre. Elsa était si faible, si friable. L'habitude avait sur elle une prise plus rapide, plus entière que sur quiconque.

Max témoin de...

Je me rappelais avec quelle intensité tendre, protectrice et jalouse son regard se posait sur Elsa. Comme il avait souffert quand elle avait commencé à boire ! Quel amour, quelle pudeur réglaient alors ses sentiments !

Et maintenant...

Je remarquai soudain que je me trouvais à la porte de l'hôtel *Monnier*.

Mes pas m'y avaient conduit sans que je les eusse contrôlés. Et je me rendis compte que ma sollicitude pour Max existait toujours, plus vive même de ne pas s'être exercée depuis longtemps et qu'elle renouait un lien que je croyais aboli.

Le vestibule de l'hôtel était vide et obscur. Je cherchai en vain un commutateur. Sous l'escalier, que je devinai vaguement dans l'ombre, filtrait un rais de lumière. Le veilleur de nuit devait coucher là. Je trouvai à tâtons un loquet et ouvris. A la lumière d'une chandelle, appuyé des coudes et des genoux contre une paillasse, j'aperçus Max qui lisait.

Je ne sais pas ce qui m'étonna davantage à cet instant : l'imprévu de la rencontre ou le caractère fantastique du spectacle qu'elle m'offrait. Le réduit était exigu à ce point qu'on avait dû placer le lit d'abord et l'entourer de planches. On se heurtait à lui sur le seuil même. Dans cette niche, l'air venait par les fentes de l'escalier, dont les degrés, en creux, formaient un plafond en dents de scie.

Sur un petit support cloué contre la cloison, une bougie brûlait. Sa flamme remuait par faibles oscillations irrégulières. Alors, l'ombre d'une grosse tête crépue devenait une sorte d'immense frondaison qui envahissait d'un tissu surnaturel toutes les faces de la cellule. Au centre de cet univers mystérieux et sordide, un enfant infirme, les tempes entre les mains, le profil durci par l'attention, répétait des lèvres seulement, sans un souffle, le texte d'un livre dépenaillé.

Il est possible que je me fusse retiré au bout de quelques secondes sans oser interpeller Max. Mais il se retourna de lui-même et me vit, sans distinguer tout d'abord mon visage.

— Oh! pardon, monsieur, dit-il. Que désirez-vous?

Comme je ne répondais point, il prit sa chandelle et l'éleva dans ma direction.

— Vous! s'écria-t-il.

Sa main trembla. Des gouttes chaudes glissaient le long de son poignet en petites taches blanches. Il ne le remarqua point. Sur sa figure se peignirent l'émotion et la joie. Il replaça la chandelle sur la tablette, prit mon bras qu'il serra très fort et dit:

— Venez, venez. Oui, sur le lit. Il n'y a pas d'autre place.

Je m'assis en repliant mes jambes. Sans descendre du grabat, Max referma la porte.

— Il ne faut pas qu'on me remarque du dehors, expliqua-t-il. Je suis étranger et mineur.

— Tu es engagé comme veilleur? lui demandai-je machinalement.

— Non, je m'arrange avec le vieil Henri. Je le remplace pendant qu'il va ouvrir les portières des

135

voitures. La patronne le sait, elle ne dit rien, c'est une brave femme. Elle me laisse ce coin dans la journée et me nourrit un peu.

L'infirme parlait avec une aisance nouvelle pour moi. Au ton des phrases, à leur rapidité, il était clair qu'il pensait en langue française. Ses traits s'étaient accusés. Malgré leur teinte blafarde et leur maigreur, on y voyait la domination d'une fermeté patiente et virile.

Je dis à voix basse :

— Il y a longtemps que je ne t'ai pas vu, Max.

— Vous êtes très occupé, répliqua-t-il gentiment et comme pour m'excuser. Vous avez été en voyage. J'ai lu cela dans un journal qui traînait au bureau. J'ai pensé à vous très souvent. Vous m'avez fait tellement de bien. Et à Madame Elsa... Vous savez... elle m'a demandé de vous aimer plus que jamais.

— Quand ?

— Au moment des fêtes. Je m'en souviens... Elle a évité de m'embrasser pendant plusieurs jours à ce moment-là.

— Et maintenant ?

— Oh ! maintenant, tout va bien.

Je considérai Max avec insistance. Ses yeux ne se dérobèrent pas. Chacun de nous essayait de deviner ce que l'autre savait de la déchéance d'Elsa. Peu à peu je sentis le regard de l'infirme perdre sa réserve, se faire pénétrable, accessible. Il passa de l'expression close par laquelle il s'était jusque-là protégé contre moi à celle d'une adhésion sans détours et d'une sorte de douloureuse complicité.

— Oui, tout va bien, répéta Max.

Mais il ajouta en appuyant de façon à donner un sens restrictif à ce qu'il disait :

— Tout va bien entre nous.

Il continua avec lenteur. Je compris que cette lenteur était destinée à bien choisir les termes qui permettraient à Max de tout me confier, mais par allusions seulement et pour éviter, à l'égard d'Elsa, la cruauté que n'eussent pas manqué d'avoir les explications précises.

— Elle me traite toujours en enfant, dit Max. Elle croit que je ne sais de la vie rien de plus que ce que je savais quand nous avons quitté l'Allemagne. Elle m'a bien recommandé de ne pas prendre au cabinet de lecture des livres pour les grandes personnes. Un jour j'ai commencé à lui parler du vampire de Dusseldorf. Elle m'a tout de suite interrompu en disant : « Ce n'est pas une histoire convenable... un garçon de ton âge ne peut pas comprendre. » Vous ne pouvez pas savoir comme elle est gentille pour ça.

L'image d'Elsa passant sur ses talons tordus devant le *Sans-Souci* auprès d'un homme dont le visage était fixé dans une expression obtuse et vide, flotta devant mes yeux. Mais cette fois, Elsa détournait vers moi un regard empli d'un triste reproche.

« Comment avez-vous été capable de croire, demandait ce regard, que je mêlais Max à mon supplice ? »

Je fus pris de nouveau d'une pitié sans mesure pour celle dont l'infirme continuait de parler avec une précaution infinie.

— Madame Elsa peut-elle imaginer ce qu'on voit, ce qu'on entend ici quand on fait, comme moi, des commissions pour les clientes ? Si elle pouvait savoir les propositions que m'ont faites quelques-unes quand elles sont pleines d'alcool ou de drogue.

— Mon pauvre Max, dis-je, quel affreux apprentissage.

— Oh ! ça n'est pas tragique. Rien de tout cela n'entre dans moi. Vous comprenez ce que je veux dire. Tout s'arrête aux yeux et aux oreilles. Je ne veux pas que ça aille plus loin. Et pour les choses de

la pensée ce que je veux je le peux. Heureusement !
Ici c'est une question de vie. Si je ne savais pas me
défendre je me tuerais.

Le visage, la voix de Max étaient très calmes. Une
lumière spirituelle d'une étrange densité veillait
dans son regard. En quelques mois l'infirme avait
terriblement mûri. Je ne trouvais plus chez lui
aucune de ces réactions nerveuses, aucun de ces
tourments dissimulés et que le secret rendait plus
lourds, aucune de ces blessures du dégoût ou de la
crainte par où je l'avais vu si cruellement souffrir. Il
avait dû sentir qu'il y userait le meilleur de sa force
et de son intelligence. Instinctivement, il s'était
enveloppé d'une sorte d'armure qui ne laissait plus
les coups parvenir jusqu'à lui.

Avant, c'était à l'intérieur qu'il refoulait l'ennemi
et le rendait ainsi plus efficace. Il le laissait dehors
maintenant.

Max, sans me quitter des yeux, gardait le silence.
Il réfléchissait, pesait ses propos. Le plus difficile
lui restait à dire. Mais, s'il hésitait, c'était uniquement sur la forme, car dès que nos regards s'étaient
pénétrés, j'avais vu chez Max l'intention sans appel
d'établir entre nous, sur le plus douloureux et le
plus délicat des sujets, une clarté entière, simple et
nue.

— Vous avez trouvé le couloir sombre. Savez-
vous pourquoi ? demanda soudain Max. C'est que
Mᵐᵉ Elsa est rentrée il n'y a pas longtemps et a
éteint la lumière tout de suite. Elle le fait chaque
fois quand elle revient dans un état qui pourrait me
faire de la peine. Elle a peur que je ne dorme pas,
que je l'aperçoive. Elle monte les marches sans un
bruit. S'il n'y avait qu'elle je ne l'entendrais pas
monter.

Pour ne pas détourner mes yeux, pour continuer à
soutenir le regard par où Max me confiait la notion

précise, physique, qu'il avait de la prostitution d'Elsa, il me fallut fournir un effort véritablement désespéré. Mais allais-je me montrer moins courageux que cet enfant qui, dans son chenil, écoutait progresser au-dessus de sa tête, degré par degré, craquement par craquement, l'homme attaché à sa proie ?

Et l'autre, la malheureuse, qui marchait sur celui-là même dont elle voulait, dans l'illusion de sa pitié, de sa tendresse, épargner encore l'innocence !

Et Max sentait chacun des efforts dérisoires, subissait chaque pas de cette avance couplée. Comme il devait souffrir ! Souffrir pour deux, obligé de ne rien trahir de sa souffrance et de soutenir par son unique effort tout un échafaudage de mensonges pitoyables et sacrés...

Lui qui aimait Elsa avec cette passion et cette jalousie de la première adolescence à l'intensité desquelles ne parviennent jamais les amours adultes !

Il me sembla que jamais ma poitrine ne réapprendrait le jeu d'une respiration aisée. Max s'en aperçut et dit :

— On étouffe ici quand on n'a pas l'habitude. Je vous en demande pardon. Henri est plus long à revenir que d'ordinaire.

Sa voix était si paisible, si unie qu'un doute me vint. Max éprouvait-il encore pour Elsa le sentiment que je lui avais connu et continuais de lui prêter ? L'école atroce par lui traversée ne l'avait-elle pas énervé, insensibilisé au point que personne, et même Elsa, ne possédait plus sur lui le pouvoir de faire mal ? Je voulus en avoir le cœur net. Max m'avait donné le droit à toutes les inquisitions. Je demandai :

— Tu supportes tout ça sans trop de chagrin ?

Une ombre légère courut sur le grand front

intelligent, mais peut-être n'était-elle due qu'à une oscillation de la mèche fumeuse. La chandelle approchait de sa fin. L'infirme reprit d'un ton qui confirmait l'impression que j'avais eue de son anesthésie totale.

— Personne n'y peut rien, dit Max. Madame n'a pas d'autres moyens. Monsieur Michel a plus besoin d'argent que jamais.

A mon expression Max vit que j'ignorais tout des nouvelles épreuves qui avaient pu fondre sur le mari d'Elsa. Il secoua sa grosse tête dans le mouvement qui lui était familier lorsqu'il s'adressait des reproches intérieurs.

— Vous m'avez fait trop parler de moi, dit-il. Ça ne m'arrive pas souvent... Alors j'ai oublié de vous mettre au courant. Monsieur Michel n'est plus au camp de concentration.

— Déjà libéré ! m'écriai-je.

— Le médecin a obtenu pour lui une faveur... Même là-bas il y a des hommes justes, remarqua Max avec un étonnement naïf. On a autorisé Monsieur Michel à habiter hors du camp.

— Eh bien, demandai-je, où est le mal ?

— Il n'a pas le droit de quitter la petite ville voisine. La police le surveille. L'hôpital ne l'accepte pas. Il n'y a pas de secours de chômage pour lui. Il n'a qu'à mourir de faim et de froid.

— Mais ses amis, ses parents ?

— Il n'a jamais été d'accord avec sa famille. Il était trop libre d'esprit. Son mariage a tout cassé. Et les amis, vous savez, aider un suspect, ils trouvent ça dangereux.

— Alors... cette liberté est pire que l'internement ?

— Dans un sens oui... s'il n'a pas d'argent. C'est pourquoi Madame Elsa fait... fait encore plus de sacrifices. Et nous devons tous la respecter davantage... Il y a quelque chose de saint là-dedans. Voilà... vous savez tout.

La bougie s'était éteinte depuis quelques instants.

— Je n'en ai plus d'autre, dit Max. Mais nous n'en n'avons plus besoin. Henri ne va plus tarder. Tous les restaurants sont fermés.

Bientôt en effet des pas lents et las traînèrent dans le vestibule. Un vieil homme courbé, aux yeux sans cils, le col du veston relevé, ouvrit la porte du réduit.

— Ça n'a pas été fort, mon petit gars, annonça-t-il. Tu as juste de quoi te payer un petit pain et du fromage de tête.

— C'est toujours ça, dit Max avec gentillesse. Merci beaucoup monsieur Henri. Dormez bien.

— Que vas-tu faire maintenant ? demandai-je à l'infirme.

— J'irai avec vous le temps que vous voudrez. Puis je me promènerai jusqu'à neuf heures. Henri me laisse le coin à ce moment-là. Ça me fait du bien de marcher chaque matin. Je prends l'air. On ne peut pas travailler sans arrêt.

*

Depuis, j'ai souvent erré avec Max à travers Montmartre, descendant et remontant les pentes à l'heure où la lumière se frayait un difficile chemin dans la ville et dans les cœurs. Mais c'est le premier compagnonnage d'un homme et d'un enfant qui reste surtout dans ma mémoire.

Je ne disais presque rien. Lui, il avait à partager des richesses immenses et confuses. Le nombre de livres qu'il avait pu engloutir était presque incroyable. On les lui laissait prendre librement dans un cabinet de lecture du boulevard de Clichy. Il payait ce qu'il pouvait et quand il pouvait.

Sa reconnaissance instinctive, religieuse pour la France s'en était trouvée merveilleusement alimentée. Je crois qu'il voyait l'image de ce pays sous les traits de la vieille bibliothécaire aux doux bandeaux gris qu'il me fit connaître par la suite et qui parlait en tricotant d'Alexandre Dumas et de Balzac comme d'amis intimes.

Dans la même journée Max apprenait par cœur les noms des départements et des chefs-lieux (je l'avais surpris dans cette occupation), étudiait le latin dans les traductions juxtalinéaires, se gorgeait de poèmes, tremblait pour Mme Bovary. C'était de ses lectures que lui venaient la sûreté, la fermeté de son langage et parfois, un tour littéraire peu naturel. Les mots troubles, impropres, grossiers, les formes corrompues de l'expression qui régnaient autour de lui n'arrivaient pas à mordre sur sa façon de parler. Comme pour ses sentiments il se trouvait protégé, par la volonté et l'étude, contre le milieu qui le menaçait.

Le jour s'était levé. Nous passions dans la rue La Rochefoucauld.

Max s'arrêta brusquement. Nous avions été bousculés par un groupe qui sortait d'une ruelle adjacente. Deux agents traînaient, poussaient, portaient presque une femme défigurée par des taches de vin et de sang caillé. Une fureur hagarde convulsait ses traits sans âge. Elle se débattait en hurlant. Comme ils disparaissaient dans l'entrée du commissariat un des hommes la gifla.

La figure de Max prit une teinte cendrée. Ses épaules frissonnèrent.

— C'est... c'est... murmura-t-il... non... je ne peux pas.

Et de pesantes larmes commencèrent de glisser sur ses joues. Je pensai alors que je n'avais jamais vu pleurer Max. Je n'en eus l'occasion qu'une fois encore — beaucoup plus tard.

Il se reprit très vite et dit seulement :

— J'aime mieux rentrer. Quand Madame Elsa n'est pas seule, quelquefois j'ai peur.

Ayant réfléchi un peu, il ajouta :

— Vous ne devriez pas l'abandonner tout à fait.

— Elle s'est plainte de ne pas me voir ? demandai-je.

— Oh ! non. Au contraire. Elle trouve ça très naturel. C'est pourquoi, justement...

— Oui, oui, dis-je précipitamment. Tu as raison. Je te le promets.

Sur le seuil de l'hôtel *Monnier*, Max retint ma main. Une invincible frayeur affleurait à son visage malgré la résolution qui demeurait inscrite sur lui, malgré l'expression de liberté spirituelle située au-delà des événements qui persistait dans ses yeux. Je crus qu'il allait me prier de rester avec lui jusqu'à ce que l'homme qui avait suivi Elsa fût sorti de l'hôtel. Mais l'infirme demanda :

— Vous êtes sûr... tout à fait sûr que votre ami, le Roumain... le vagabond...

— Istrati ? Eh bien ?

— Qu'il a vu, senti des choses aussi laides que tout cela ?

Je compris que la crainte de Max dépassait, débordait sa quotidienne détresse. Elle avait trait au noyau même de sa vie, au feu qui veillait au plus essentiel de lui-même. L'infirme tremblait que tant de boue ne l'étouffât.

— Istrati avait plus de quarante ans, lui dis-je, qu'il ne savait pas encore comment on mange à sa faim. Il a connu toute la misère de la terre.

— Je m'en souviendrai mieux, dit Max.

Il sourit, me serra la main, pénétra dans le vestibule. Je le vis tirer un manuel de sa poche, s'asseoir dans le pan de clarté grisâtre qui venait de la porte.

Bientôt passerait devant lui l'inconnu, dont les pas au-dessus de sa tête avaient ébranlé l'escalier. Il noterait son départ à coup sûr, mais d'une façon abstraite, passive. Sa vie, je le sentais, s'était séparée de celle d'Elsa dans la mesure où un fruit humain formé se détache de celle qui l'a conçu. Il n'y avait plus entre ces deux êtres lien indissoluble, organique dépendance. Max commençait d'exister pour son propre compte et selon sa propre loi. Il ne suivait plus. Il avançait tout seul pour échapper à une chute commune. Une ombre descendait, une autre montait dans le jeu terrestre. Elles se rencontraient encore, se frôlaient dans leurs progressions inverses sur un instable palier. Pour combien de temps ?

CHAPITRE VI

— Elsa est à la toilette. Elle se fait une beauté, me dit Dominique. A propos, elle attend toujours son article.

Je m'empressai de gagner une place libre.

Il était près de deux heures du matin. J'avais, pour venir, choisi ce moment, dans l'espoir qu'il y aurait peu de monde. Mais Dominique semblait avoir percé le secret de ces temps difficiles. Son établissement était à peu près comble.

J'avais pour voisine une fille très brune, épaisse et mal tenue qui, par désœuvrement, se nettoyait les ongles.

— C'est la môme Elsa que vous voulez? me demanda-t-elle. Je vais la prévenir. Je parie que vous êtes son ami le journaliste.

— Vous êtes bien renseignée, lui dis-je.

— Oh! vous savez la môme et moi, on n'a pas de secrets. Elle est nature. Je vous la ramène.

Elsa parut bientôt au bras de sa confidente. Ce n'était pas une transformation que je surprenais mais une débâcle. Quand j'avais connu Elsa, j'avais remarqué tout de suite qu'elle était arrivée à cet état physique où la maturité émeut singulièrement par le mélange précieux de la jeunesse qu'elle retient encore et de la destruction latente que déjà

145

elle porte dans sa plénitude, sans en être touchée. Cet équilibre, cette charnelle richesse, une vie saine et des soins attentifs les peuvent assez longtemps prolonger. Je l'avais bien vu quand Elsa descendait la falaise du Gris-Nez. Et je frémis des ravages qu'avaient accumulés six mois seulement d'excès et de défaite.

Le visage d'Elsa n'était qu'une boursouflure. Des protubérances molles et graisseuses avilissaient le menton, changeaient le sens de la bouche. Le cou s'était relâché. Une griffe impitoyable marquait les lignes selon lesquelles cédaient les tissus. Des poches grumeleuses et flasques se gonflaient sous les yeux. La chevelure même avait perdu son éclat, son jet. Le corps résistait davantage. Les seins demeuraient beaux. Il y avait une aimable noblesse dans le jeu des hanches. Mais déjà les épaules fléchissaient, prêtes à s'arrondir et les bras charnus devenaient gonflés, massifs.

— Que je suis heureuse, que je suis heureuse ! s'écria Elsa.

Et je fus étonné d'entendre une voix que je connaissais, dont j'aimais les inflexions naïves et la tendre sonorité chez cette femme nouvelle de qui l'apparence faisait songer à une réclusion de mauvais aloi.

Elle me parut aussi trop exaltée et d'une exaltation qui ne tenait pas à l'ivresse. Je n'en découvris pas la cause à ce moment. Peut-être parce que j'évitai de regarder son visage.

— Comme vous avez été bon, la dernière fois, poursuivit Elsa. Je ne vous ai pas remercié. Mais vous avez senti... vous avez senti, je suis sûre.

— La dernière fois, pensai-je, mais c'était... c'était...

Il me parut incroyable que l'ombre tragique dont j'avais écouté la confidence épouvantée, que la

146

tremblante créature aux mains incapables de réunir les deux moitiés d'un billet de banque fût du même sang que l'épaisse entraîneuse assise à mes côtés.

Sans le vouloir, je fis des yeux le tour de la salle. Epanoui au milieu d'une demi-douzaine de faces attentives et serviles, je crus retrouver M. Louis.

Malgré moi je demandai :

— C'est lui ?

— Surtout ne répétez pas que je me suis plainte, dit vivement Elsa. Vous savez, au fond, il n'est pas plus méchant qu'un autre. J'étais folle de faire une histoire pareille. Au moins, il est généreux... C'est que j'ai besoin de tout le monde en ce moment. Michel...

— Je sais, je sais. J'ai vu Max aujourd'hui.

J'avais interrompu Elsa presque brutalement. Elle n'était pas ivre. Elle devait comprendre, pour le moins, que si la vie la poussait à d'affreuses pratiques, il valait mieux ne pas les évoquer en même temps que son mari.

— Ah !... Max... murmura Elsa d'une voix toute changée et comme si elle reprenait soudain le sens de sa condition. Oui je... je... Je me suis levée très tard. Nous n'avons pas beaucoup parlé. Il vous a dit, n'est-ce pas ?

Et reprenant d'un seul coup son débit précipité, son animation singulière, elle s'écria :

— Quand j'ai appris que Michel n'était plus dans le camp j'aurais embrassé les pieds de son docteur. Bien sûr, il lui faut plus d'argent. Mais ça, ça ne fait rien, je m'en charge.

Il n'y avait pas d'orgueil dans les paroles d'Elsa, mais une entière, une sauvage certitude. Et je n'ai jamais entendu de tendresse plus humble que celle qui lui fit dire :

— Je ne ferai jamais assez pour lui. Regardez ce qu'il m'écrit.

Les mains fiévreuses fouillèrent dans un sac, me tendirent trois lettres. Celles-ci portaient l'expression d'une gratitude sans nom ni mesure, incrédule, éblouie. La première surtout qui parlait du cadeau du nouvel an. Je me rappelle certaines phrases.

« Si j'avais pu pressentir que tu m'aimes ainsi, écrivait Michel, j'aurais bouleversé le monde. Comme j'étais aveugle et maladroit. Je te demande pardon. Mais sois tranquille mon amour, ma vie. Je saurai bien m'arracher d'ici (Michel était encore interné à cette époque) et je te reverrai. Cela seul serait suffisant pour moi. Mais pour toi je veux refaire une existence, plus belle, plus enviée, plus douce que tout ce que tu as pu désirer dans tes rêves. »

Ainsi parlait Michel. Et je compris qu'Elsa eût pardonné le billet partagé en deux. Je compris qu'elle pouvait oublier la contrainte odieuse, criminelle dont elle l'avait payé, parce que, grâce à lui, dans un camp glacé de Prusse-Orientale, un homme qui lui était cher plus que tout, avait eu, menacé par la maladie, le désespoir, la mort lente, ce cri de bonheur, ce sursaut de salut. Et si là-bas Michel ne vivait que pour elle, Elsa dans le plus fangeux Montmartre existait seulement en fonction de lui.

— Comme je l'aime, comme je l'aime, chuchotait-elle en joignant faiblement ses mains qui commençaient, elles aussi, à se déformer. Comme je l'aime.

C'était effroyablement, merveilleusement vrai. Ce que n'avaient pu faire l'attention la plus assidue, la plus constante sollicitude, cela — la misère, l'alcool, Dominique, la prostitution avaient réussi à l'obtenir. Elsa avait commencé à donner par devoir. Mais ce don l'avait entraînée si vite et si loin, il avait exigé d'elle un si profond et ruineux tribut qu'il ne lui était rien resté pour elle-même. Tout ce qui faisait sa force, son honneur et sa joie, Michel, sans le vouloir, l'avait pris.

Sans lui elle n'était plus qu'une enveloppe évidée et dont elle ne se souciait plus. Par un jeu surprenant et fatal, alors qu'elle payait la rançon du captif, il était devenu son seul rachat.

Quels remords j'éprouvai soudain d'avoir un instant plus tôt fait taire Elsa. Je m'étais pourtant juré depuis longtemps de ne jamais condamner, jamais juger à la légère.

Elsa, cependant, remettait les lettres de Michel dans le sac même où elle serrait l'argent de ses nuits et disait :

— S'il revient, il ne saura rien, rien, je vous le jure. Mais si par malheur il apprend, croyez-vous qu'il me pardonne un jour d'avoir travaillé pour lui ?

Inconsciemment Elsa commençait d'employer le vocabulaire du milieu qui était devenu le sien. Je ne m'en étonnai même pas. Elsa avait dépassé le cercle de toutes les conventions.

Une apostrophe violente s'éleva soudain.

— T'es vraiment piquée mon petit.

C'était l'entraîneuse brune qui parlait. Elle avait dû suivre notre conversation. Visiblement sa patience était à bout.

— Je le lui dis chaque jour, s'adressa-t-elle à moi. Quand on fait pour son homme ce qu'elle fait on peut être fière.

J'en avais voulu à Elsa d'avoir pris cette fille pour confidente. Pourtant les filles seules pouvaient, sans effort, de tout leur cœur, de tout leur sang et avec simplicité partager le sentiment d'Elsa et lui donner quelque réconfort.

— Non, non Madeleine, tu ne le connais pas, dit Elsa avec orgueil et accablement.

Elle laissa pendre sa tête. Je vis mieux les fanons qui se dessinaient sous ses joues.

— Allons, me dit-elle brusquement, il faut que je me mette un peu de rouge. Je vous laisse avec Madeleine. C'est une brave copine.

Il me sembla que les deux femmes échangeaient un regard de complicité.

Elsa revint, armée d'un courage surprenant. Elle était sûre tout à coup du retour de Michel, sûre de pouvoir lui laisser tout ignorer et de reprendre avec lui une vie plus insouciante encore que par le passé.

— Vous en êtes à l'héroïne, lui dis-je tout bas.

Et arrêtant sa protestation :

— Si vous ne cessez pas aujourd'hui même, je préviens Max et je lui demande de le faire savoir à Michel. Voulez-vous donc mourir avant qu'il revienne ?

Sur cette pente au moins, je pus arrêter Elsa. Pour le reste que pouvais-je faire ? Et avais-je même le droit d'essayer ?

Quand un être se détruit pour une grande idée ou pour un grand amour, j'ai toujours pensé qu'il a choisi un domaine dont il n'appartient à personne de vouloir le ramener.

CHAPITRE VII

J'examinais l'enveloppe qui, seule dans mon courrier, portait une écriture inconnue. Elle était timbrée de Nantes et datée du 12 mai. Cela ne m'apprenait rien. Le message lui-même ne me renseigna pas mieux tout d'abord.

Un docteur Harmelin m'assurait que s'il n'avait pas lu mon enquête sur l'Afghanistan et n'avait pas espéré que ce voyage était la raison de mon silence, il ne se hasarderait pas à m'importuner de nouveau. Mais ayant l'intention de venir assez prochainement à Paris, il me demandait de déjeuner avec lui. Il me proposait le jour : le dernier mardi du mois. Pour l'endroit, il le laissait à ma convenance.

Je faisais de vains efforts pour arracher à ma mémoire une indication sur ce médecin lorsque j'arrivai au post-scriptum.

« Si vous voyez toujours Mme Wiener je vous serais reconnaissant de lui présenter mes hommages et de me rappeler à son bon souvenir. Je la remercie encore de la soirée qu'elle a bien voulu passer avec moi. »

Il me sembla, tout à coup, revenir à un temps très ancien.

Novembre 1933... Je n'avais alors ni oublié ni même connu Danièle. Les montagnes d'Afghanistan étaient pour moi seulement des notions géographiques... La beauté d'Elsa demeurait intacte... Quand elle s'était montrée nue, un homme au visage uni, effacé et bon, avait, seul de toute la salle, détourné la tête.

Je me rappelai alors que Harmelin m'avait, au cours de l'hiver, demandé l'adresse d'Elsa et que je n'avais pas répondu. Ce fut surtout pour réparer cette impolitesse que je lui donnai rendez-vous dans un restaurant de Montparnasse.

*

Il faisait un jour chaud et gai, qui sentait l'été d'une manière précoce. Nous prîmes notre repas sur une terrasse d'où l'on voyait le carrefour Raspail. Même pour un habitant de Paris c'est un spectacle toujours vivant, amusant et nouveau que celui de la cohue qui, en ce lieu, se presse autour des cafés. Les faméliques et les originaux, la bohème de toute langue et de tout métier y forment la dernière oasis d'un pittoresque en même temps voulu et spontané.

Harmelin passa, à la contempler, une heure de véritable ravissement. Ses yeux ingénus et vifs couraient d'un visage à l'autre sans pouvoir se rassasier. Les vêtements, les chevelures, les expressions, les voix, tout provoquait chez lui des commentaires où je découvrais la fraîcheur d'une sensibilité qui n'avait pas connu la dépense inutile ou triviale, qui ne s'était pas émoussée au cours de journées et de nuits sans valeur.

Harmelin était plus âgé que moi. Pourtant, aussi bien par le repos des traits que par la candeur des sentiments, il semblait mon cadet de beaucoup. Je le lui dis. Il soupira :

— C'est une jeunesse forcée que celle de la province.

152

Puis en riant :

— On se plaint toujours de ce qu'on possède. En tout cas, si l'on veut rester satisfait, il ne faut pas mettre le pied dans un monde contraire au sien. Ainsi, pendant près de quinze ans, je n'avais pas vu Paris et je m'en passais fort bien. Il a suffi que mon métier m'appelât ici en automne et me voilà déjà de retour.

— Sans raison ? demandai-je.

— Pas... pas professionnelle du moins.

Ce qui m'avait attiré vers Harmelin le soir où le hasard nous avait réunis, c'était son absolu naturel. Aussi fus-je étonné de sa réponse ou plutôt de la manière dont il l'avait faite. Il avait hésité très légèrement, mais assez pour se rendre compte que je l'avais deviné. Puis il s'était détourné et avait feint, tout en parlant, d'examiner la carte du restaurant. Et j'eus l'impression, parce qu'il n'avait pas dit ce qu'il avait eu tout d'abord l'intention de dire, qu'il était mécontent de lui et de moi.

Cet embarras, d'ailleurs, ne dura point. Les hommes pareils à Harmelin peuvent parfois ne pas prendre une mesure exacte des événements qui, en eux, cheminent et se préparent. Leur équilibre, leur santé les empêchent, à cet égard, d'être très pénétrants. Mais, s'ils se prennent en faute, ils ne savent ni ne veulent le dissimuler.

— Vous m'y faites réfléchir, dit Harmelin. Est-ce que vraiment je ne suis ici que pour me distraire pendant quelques jours de loisirs inattendus ?

Il me regardait avec confiance et comme s'il me demandait de l'aider à mieux voir en lui-même. Je ne sais pourquoi, l'expression de sa figure me rappela celle qu'elle avait eue lorsque, dans l'établissement de Dominique, nous attendions ensemble qu'Elsa parût, dépouillée de ses vêtements.

Je songeais à la première lettre de Harmelin, au post-scriptum de la seconde.

— Elsa... dis-je malgré moi.

Pour corriger ce que mon exclamation avait de brusque et d'indiscret, j'ajoutai :

— Excusez-moi d'attacher de l'importance à une attitude que j'ai cru inspirée par la courtoisie et la pitié.

— Je l'ai cru aussi, dit Harmelin.

— Et maintenant ?

— Je ne sais plus. S'il en était seulement ainsi, je vous aurais tout de suite demandé des nouvelles de Madame Wiener et exprimé mon désir de la revoir. Or je m'aperçois que, depuis une heure, je retarde le moment de le faire, je cherche un biais. Donc cela me gêne, me fait peur. Ou encore j'y tiens trop.

Harmelin avait parlé posément, d'une voix lente, aisée. Il paraissait discuter d'un cas étranger à lui, établir un diagnostic. Soudain une petite cicatrice qu'il avait au pli de la lèvre supérieure se mit à remuer plus vite, tandis qu'il poursuivait :

— Vous savez, le soir où vous m'avez quitté, elle a paru très heureuse d'être avec moi. Elle avait l'air d'un enfant qu'un pansement soulage et qui vous regarde tout émerveillé. Cela m'est arrivé souvent, mais je n'en ai jamais eu l'impression aussi fort que ce jour-là. Les adultes qui ont un regard de bébé, vous ne trouvez pas que c'est très émouvant ?

Il n'attendit pas mon adhésion et s'écria :

— Et quelle vie extraordinaire ! Cette femme a connu, chaque saison, plus de succès, plus de passion, plus de joie que tous mes amis de Nantes et moi-même pris ensemble. Ça devait être charmant, ces petites Cours allemandes où elle chantait. Je les imagine très bien. Et elle aussi. Là-bas, dans son vrai cadre...

154

Harmelin vit sans doute que je l'écoutais trop attentivement. Il me demanda soudain :

— A quoi pensez-vous ?

Je pensais aux soirées silencieuses de province, où rien ne protège contre la douceur tenace et toxique des rêveries. Combien de fois le double d'Elsa était-il venu, dans son refuge feutré, visiter Harmelin ? Un double paré du prestige de la distance, de l'absence, d'un paysage romanesque. Un double qui attaquait ce qu'il y avait de plus vulnérable dans cet esprit probe, dans ce cadre étroit et simple : la bonté, le besoin d'évasion.

Elsa lui apportait en même temps sa faiblesse à protéger, son passé comme substance nourricière. Et aussi sans doute cette nudité que Harmelin n'avait pas voulu voir mais qui répandait sur son souvenir comme une chaleur sensuelle.

Comme je me taisais, le docteur demanda :

— Croyez-vous que je puisse rencontrer Madame Wiener ?

Parce que je songeais encore au travail qui avait dû secrètement se poursuivre pendant six mois dans Harmelin et le mener sans qu'il s'en doutât, je répondis distraitement :

— Très facilement, voyons. Tous les soirs.

Mais aussitôt l'image actuelle d'Elsa se présenta à mon esprit et me fit ajouter :

— Pourtant à votre place je n'essayerais pas.

— Pourquoi ? s'écria Harmelin avec une inquiétude qui indiquait mieux le point où il en était arrivé que toutes ses réflexions. Cela lui déplairait ?

J'admirai combien un homme intelligent et sain peut trembler devant une femme, pourvu qu'il lui prête les armes de sa propre imagination.

— Eh bien ? demanda Harmelin.

— Non cela ne lui déplairait pas, je pense, répondis-je en cherchant mes mots. C'est à vous qu'Elsa plairait moins.

Avec le plus de ménagements qu'il me fut possible d'employer, je tâchai de décrire à Harmelin la dégradation physique d'Elsa. (Je ne me sentis pas le droit de lui parler des autres épreuves qu'elle avait dû subir.)

— Et encore, achevai-je, c'était en mars dernier.

— Vous ne l'avez pas revue depuis ? s'écria Harmelin. Deux mois ! Vous l'avez abandonnée deux mois !

Il ne se rendait certainement pas compte de la violence de son reproche. Mes avertissements avaient eu un effet contraire à celui que j'attendais d'eux.

— Je devais dîner ce soir avec des parents éloignés, reprit Harmelin. Tant pis. Je me décommanderai. Voulez-vous inviter Madame Wiener de ma part et je compte sur vous aussi. C'est entendu ?

Le visage d'Harmelin avait pris cette expression particulière, qui tend les traits d'un médecin dans les cas d'urgence.

— C'est entendu, lui dis-je.

*

Elsa comprit-elle mal ma communication au téléphone ou peut-être ne lui expliquai-je pas assez clairement que je devais assister au dîner ? En tout cas elle parut surprise de ma présence et même gênée par elle. J'eus l'impression que, si elle l'avait prévue, elle n'eût pas accepté aussi facilement qu'elle l'avait fait l'offre du docteur.

Elle avait sans doute pris l'habitude d'un certain ton de conversation avec les hommes qui l'invitaient. Elle ne pouvait concevoir que Harmelin s'intéressât à elle d'une autre manière. J'étais un témoin inutile et d'autant plus fâcheux que nos relations formaient pour Elsa une entrave à ce qu'elle pensait subir ou entreprendre.

D'ailleurs, le moindre prétexte, je le sentis tout de suite, lui était bon pour s'irriter. Car si, après mes menaces, elle avait abandonné l'usage des stupéfiants, elle buvait, par compensation, effroyablement. Avant que le repas commençât, elle demanda six breuvages différents, mais tous à base d'alcool très fort. Ses nerfs ne supportaient pas une charge aussi rapide et violente. Elle se fâchait, gémissait, riait, s'attendrissait sans raison ni simplicité.

De temps en temps j'examinais Harmelin pour savoir s'il demeurait encore sensible à l'attrait qu'Elsa avait exercé sur lui. Mais je ne pouvais rien lire sur son visage plus calme qu'à l'ordinaire et plus sérieux. J'observai seulement que ses regards se posaient parfois et assez longuement sur les coudes luisants de la blouse à bon marché que portait Elsa, sur ses mains gonflées et les poches de ses yeux.

Cependant Harmelin parlait avec abondance, et soutenant à lui seul presque toute la conversation. Il semblait s'adresser à moi surtout. Mais, sans cesse, une phrase pleine de douceur, une attentive gentillesse, un mouvement serviable et respectueux montraient que sa constante pensée avait Elsa pour objet.

Cette attitude, au début, plus encore que la boisson, troubla l'entraîneuse de Dominique. C'était avec une méfiance craintive qu'elle écoutait Harmelin. C'était en tressaillant qu'elle supportait qu'il lui passât une assiette, qu'il relevât son sac.

Où était le piège dans ces gestes ? semblait-elle me demander du regard.

Peu à peu pourtant elle s'apprivoisa. Par leur égalité paisible, par le fait qu'ils m'étaient en apparence destinés, les propos de Harmelin agirent sur Elsa comme un calmant. Ses sautes d'humeur s'espacèrent. Harmelin était à coup sûr un médecin remarquable.

Quand Elsa enfin se mêla à la conversation, ce fut pour demander :

— Docteur, est-ce qu'une personne bien portante peut très vite avoir le cœur très faible ?

Harmelin effleura à peine de ses yeux clairs le visage et les mains d'Elsa.

— Oui, dit-il, si elle était disposée à cela avant, si elle se nourrit mal et se fatigue trop.

— Et... et ça peut devenir grave ?

— Oui, dit Harmelin. A moins qu'elle ne se décide au repos, à une alimentation convenable et à chasser tous les soucis.

— Alors vraiment on peut se rétablir ?

— En quelques semaines et complètement.

— En quelques semaines, répéta Elsa, avec un espoir passionné.

Du même coup elle retrouva un reflet de sa beauté ancienne.

Harmelin l'observa en silence et fronçant les sourcils pour comprendre :

— Il s'agit de vous n'est-ce pas ? demanda-t-il enfin en hésitant.

— De moi ! s'écria Elsa stupéfaite. Pourquoi donc ? J'ai une santé comme personne.

Voyant que Harmelin hochait la tête, elle devint aussitôt agressive.

— Je vous entends d'avance, cria-t-elle. Il ne faut pas que je fume, que je boive... Il ne faut pas que je me couche tard. Il ne faut pas que je respire un mauvais air... Il ne faut pas... Il ne faut pas... C'est tout ce qu'un médecin sait dire. C'est facile ! Pourquoi me regardez-vous comme ça ? Est-ce que j'ai l'air malade ? Est-ce que mes seins ne tiennent plus ? Et là, touchez mes muscles...

Elsa prit de force le poignet du docteur, le guida vers ses cuisses qu'elle tendait pour les durcir. Harmelin les effleura à peine.

— C'est très bien, très solide, dit-il.

En même temps, il se mit à caresser les doigts d'Elsa légèrement, patiemment, comme il devait le faire pour ses malades. Un instant Elsa demeura interdite. Je crus qu'elle allait arracher ses mains à celles du docteur. Soudain, elle les.abandonna. Des larmes difficiles, étroites, vinrent affleurer au bord de ses paupières qu'alourdissait un fard épais. Puis elle sourit d'un sourire qui remontait de très loin et dont j'étais sûr qu'elle avait perdu le secret.

— Ce serait gentil si vous m'accompagniez là où je travaille, nous dit-elle.

Elle monta joyeusement dans le taxi dont Harmelin lui ouvrit la porte en s'inclinant un peu.

*

L'intérêt évident d'Elsa, au lieu de prier Harmelin de la suivre dans l'établissement de Dominique, eût consisté à le dissuader par tous les moyens d'y venir, à supposer qu'il l'eût voulu.

Mais l'usure de l'accoutumance avait fait que l'endroit avait perdu pour Elsa son caractère véritable. Dominique, Madeleine, Monsieur Louis et les autres étaient devenus les personnages familiers de sa vie. Peut-être espérait-elle naïvement que la présence à ses côtés d'un homme, attentif et courtois, donnerait aux habitués du bar une idée du rang qu'elle avait occupé.

Ou, tout simplement, elle cédait à la douceur depuis longtemps perdue de se sentir traitée en être humain.

159

Sans doute la rançon de son inconscience aurait pu être moins prompte et moins cruelle que celle dont Elsa dut la payer. Mais un incident était inévitable entre Harmelin et le milieu qui fréquentait chez Dominique. Et c'était fatalement Elsa qui devait lui servir de cause et de victime, à moins que, par l'ivresse, elle ne se fût délivrée complètement du monde extérieur.

Elle n'en eut pas le temps.

Elsa entrait, animée, levant son front d'un mouvement orgueilleux, lorsque Dominique l'apostropha du haut de son bar :

— Tu étais trop saoule hier pour que je te cause, dit-il. Mais écoute bien. Si je te reprends à me briser de la vaisselle, je te fous à la porte avec mon pied au cul.

Le rire bruyant du public accueillit ces paroles. Elsa se mit à trembler. Elle nous tournait le dos. Harmelin et moi nous vîmes sa nuque devenir très rouge.

— Excusez mon langage, Monsieur, me dit Dominique, mais il faut qu'un patron obtienne de la tenue chez lui. Où irions-nous sans ça ?

En silence, nous suivîmes Elsa jusqu'à une table placée contre le mur. A peine étions-nous assis, à peine la malheureuse avait-elle réussi à donner une expression naturelle à son visage qu'un homme vint droit à elle.

C'était Monsieur Louis, excité par les propos de Dominique et jaloux de leur succès.

— Dis donc Elsa, dit-il joyeusement, le patron m'a fait régler la casse. J'y ai été de bon cœur. « Du moment que je paye ses fesses », que j'ai dit.

Un chœur de louanges grossières s'éleva de la table où Monsieur Louis abreuvait ses courtisans.

Harmelin se leva. Son visage était d'une pâleur crayeuse.

160

— Je vous défends, dit-il d'une voix étouffée, menaçante. Madame est avec moi. Et c'est à moi que vous allez avoir affaire.

— Quoi! quoi! gronda Monsieur Louis. J'ai pas le droit peut-être de rigoler avec cette...

— Assez! Vous m'entendez bien? Assez! cria Harmelin.

Le visage de Monsieur Louis était couleur sang de bœuf. Mais il loucha sur les décorations de Harmelin, sur mes épaules que j'ai assez développées.

— Ça va, ça va, grommela-t-il en battant en retraite. Puisque Madame (il insista d'une façon insultante) se met dans ses meubles.

Elsa n'avait pas semblé comprendre ce qui se passait autour d'elle. Soudain elle cria hystériquement à Harmelin :

— Allez-vous-en! Allez-vous-en! Qui vous a demandé? De quoi vous mêlez-vous? Je vais perdre ma place... mon travail. Allez-vous-en!

— Madame, madame, balbutia le docteur.

Alors Elsa se mit à rire, à rire, d'une manière qui ressemblait à un aboiement. Des syllabes qui n'avaient pas de forme agitèrent ses lèvres. Elle tomba d'un bloc.

Harmelin et moi nous l'emportâmes.

Sur le seuil Dominique me dit :

— Vous la préviendrez qu'elle me paiera une sacrée amende ou qu'elle ne remettra pas les pieds ici.

*

Harmelin nous rejoignit dans le vestibule de l'hôtel *Monnier*.

Pendant qu'il donnait ses soins à Elsa je n'avais pas échangé une parole avec Max.

— Elle dort maintenant, dit le docteur et ne se

161

réveillera que demain dans la soirée. Je pense qu'elle aura tout oublié. Mais il ne faut pas qu'elle me revoie.

Il frotta pensivement l'une contre l'autre ses mains fermes et adroites de praticien.

— D'ailleurs, poursuivit-il, ici je ne peux rien pour Madame Elsa. Je n'ai pas l'habitude. Je ne peux que lui faire du tort, comme tout à l'heure... Non je vous en prie, ne m'excusez pas. J'aurais dû comprendre à son aspect ce que vous n'avez pas voulu me dire : les conditions de son existence. Voulez-vous me donner une cigarette ?

De toute la soirée Harmelin n'avait pas fumé. En aspirant la première bouffée, il remarqua :

— Vous voyez, Madame Wiener n'est pas la seule. Dès qu'on a les nerfs en désordre, on cherche un stupéfiant.

Il semblait très maître de lui lorsqu'il continua :

— Je vais vous demander encore un service. Vous direz à Madame Wiener que mon plus cher désir est de la voir s'installer aux environs de Nantes. Je lui trouverai pour l'été une petite maison à la campagne. Je me chargerai de tout. Et... et... je la laisserai tranquille.

Ce fut le seul moment où sa voix fléchit. Il s'en aperçut et prit aussitôt un ton professionnel.

— Je l'ai examinée soigneusement. Aucune lésion. Les organes essentiels sont intacts. Les tissus gardent une certaine élasticité. Quelques mois de soins et elle peut se remettre, retrouver à peu près son ancienne apparence. Mais si elle continue cette vie il n'y aura plus rien à faire, très vite, elle deviendra une loque... Une autre cigarette je vous prie.

Il l'alluma lentement à celle qui achevait de se consumer. Ses doigts tremblaient un peu. Il dit :

— Donc, il faut qu'elle se repose. Au cas où elle

n'accepterait pas mon offre, je vais vous laisser un chèque. Oh! pas grand-chose. Ce que j'avais prévu pour passer une semaine ici. Oui... je rentre demain chez moi... Alors vous le voyez, je n'y perds rien. Vous avez un stylo? Non? Moi non plus. Je suis en vacances n'est-ce pas...

Je demandai à Max.

— Tu as de quoi écrire sûrement?

Sans répondre l'infirme ouvrit la porte de son réduit, plongea une main sous le grabat, retira une petite bouteille d'encre et un porte-plume à deux sous.

*

— Je hais ce docteur, dit Max brusquement, lorsque Harmelin fut sorti de l'hôtel après nous avoir salués le plus simplement du monde... Oui il est bon, s'écria l'infirme arrêtant à l'avance ma réplique... oui, c'est magnifique ce qu'il fait et ce qu'il veut faire pour Madame Elsa. Mais il n'a pas le droit...

Je regardai Max sans comprendre. Il reprit péniblement sa respiration et secoua sa grosse tête d'un mouvement farouche.

— Je ne suis pas jaloux, croyez-moi, poursuivit-il. Je l'ai été... Oh! oui... je l'ai été... De vous, d'un passant, du monde entier. Mais c'est fini ou j'en serais mort. Il ne s'agit plus de moi, d'elle, d'elle seulement. Si elle accepte, elle est perdue. Tout ce qu'elle a fait devient si laid! Elle n'aura plus raison. Je deviendrai fou en me rappelant le bruit des souliers sur ma nuque. Si elle accepte c'est une... une...

Il n'acheva point l'insulte qu'avait failli lancer sa bouche convulsée. Cependant j'en devinai la forme et je fus moins sûr que la jalousie de Max fût aussi détruite qu'il le croyait.

*

Il avait tort de craindre. Quand je transmis à Elsa la proposition de Harmelin, elle fut secouée d'une indignation sauvage. Elle se souleva aux trois quarts sur son lit, oubliant qu'elle était nue, et cria :

— Il est fou. Mais il me dégoûte ! Il croit que pour lui je vais tromper Michel ! Mais il me dégoûte ! Je veux Michel. Michel et lui seul.

Le cycle passionnel était achevé. Elsa désirait physiquement son mari.

Le montant du chèque de Harmelin fut envoyé intégralement dans une petite ville de Prusse-Orientale.

CHAPITRE VIII

Je dus passer presque tout l'été à Paris. On m'avait demandé d'écrire le sujet, le développement et le dialogue d'un film. Je perdis beaucoup de temps à lutter contre la bêtise grossière et la prétention de ceux qui finançaient cette affaire. Plus d'une fois je désespérai. Enfin je pus achever un ouvrage dont je n'étais pas fier.

A peine les journaux en eurent-ils annoncé la mise en train prochaine que je fus assailli de demandes pour la distribution des rôles. Bien que mon influence fût, en la matière, fort réduite et se bornât aux bonnes relations que j'entretenais avec le metteur en scène, je pensai à l'employer pour faire gagner quelque argent à Elsa et à Max.

Je savais par ce dernier (il venait souvent me voir) que, après un scandale éclatant, Elsa avait dû quitter l'établissement de Dominique et qu'elle n'en avait pas cherché d'autre.

— Toute question matérielle lui est devenue indifférente, m'avait dit Max. Depuis que Monsieur Michel a eu son été assuré grâce au docteur, Madame Elsa est tranquille. Elle dort beaucoup, ne boit plus, ne voit personne. J'habite de nouveau dans sa chambre. Elle fume et nous parlons de Monsieur Michel. La patronne nous fait crédit jusqu'à l'automne. Elle a moins de monde, vous comprenez.

Quand j'offris à Max de figurer parmi les personnages du film et de dire quelques phrases qui lui rapporteraient trois cachets, il s'écria avec émerveillement :

— Deux cent quarante francs pour ne rien faire ? Mais je pourrai acheter toute une bibliothèque.

L'excès de sa joie lui fit peur.

— Mais pensez-vous vraiment qu'on me prendra ? demanda-t-il. Avec ma jambe ?

— J'y ai pensé, lui dis-je. L'enfant que tu dois jouer, j'en ai fait un... un...

— Un infirme. N'ayez pas peur, acheva Max en riant. Il y a longtemps que je ne crains plus ce mot, vous savez.

Je lui demandai alors si Elsa, à son avis, voudrait prendre part à l'interprétation.

— Il me semble, répondit Max, que c'est la seule chose qui pourrait l'intéresser maintenant. Elle a joué pour le cinéma. Elle aimait cela beaucoup. Elle était si belle.

Il soupira et reprit :

— En ce moment elle a bien meilleur visage. Il faudrait que vous lui parliez vous-même.

Le sentiment de Max était juste. Elsa fut heureuse de mon offre.

— C'est une période de chance, dit-elle en me prenant les mains. Je l'attendais. J'en étais sûre. Michel va mieux. Il se sent presque guéri. Il m'aime encore plus. Et si, moi, de mon côté, je peux recommencer... Oh ! Mon Dieu ! Je ne demande pas d'être étoile... seulement gagner notre vie.

Anselmet, le metteur en scène, avait l'œil juste. Je l'estimais pour sa jeunesse, sa conviction, sa franchise. Et j'eus grande joie à lui entendre dire, dès qu'il eut examiné Elsa :

— Vous aviez raison, mon vieux. Elle a une figure très expressive. Et puis elle a du don. Je me suis renseigné. Pour l'accent ce n'est pas très grave. Son métier le fera passer. A la rigueur, on fera de son personnage une étrangère. Vous n'avez rien contre ?

J'approuvai de tout cœur. Anselmet dit à Elsa :

— Il y a un rôle qui colle à merveille pour vous. Il est beaucoup plus important que celui que je pensais vous donner avant de vous voir. C'est le deuxième du film. Et même, en vérité, il équilibre le premier. Vous connaissez le sujet ?

— A peu près, dit Elsa. Le petit Max me l'a raconté en détail.

— Bon. Il s'agit de Gilberte. Vous êtes contente j'espère.

— Attendez... attendez, murmura Elsa avec difficulté. C'est la femme, plus âgée que son mari et il la quitte pour une jeune fille... Oui ? Mais c'est une vieille.

— Vous avez dû mal comprendre, dit Anselmet. Elle n'a guère plus de quarante ans.

— L'âge m'est égal, dit Elsa violemment. Si on la quitte elle fait figure de vieille. Je n'ai pas l'habitude de ces personnages.

Anselmet ne brillait pas par la patience. Il répondit :

— Il y a une glace juste en face de vous, Madame. Ayez l'obligeance de bien vous regarder dedans.

Machinalement Elsa lui obéit. Je ne sais si elle mesura avec exactitude l'irrémédiable différence qui séparait son visage de celui qu'elle avait porté sur les scènes, sur les écrans et jusqu'à Paris lorsque je l'avais connue. Mais elle pâlit beaucoup sous son fard et détourna aussitôt la tête.

— Alors ? demanda le metteur en scène.

Elsa se dirigea vers la porte sans répondre. Je connaissais Anselmet. Elsa perdait sa dernière chance. Je me précipitai, lui pris le bras, voulus la ramener.

— C'est inutile, me dit-elle. Pour rien au monde je n'accepterais que Michel me voie dans ce rôle.

CHAPITRE IX

A quoi bon décrire l'endroit où, après de tardives et courtes vacances, je retrouvai Elsa, grâce au hasard d'une nuit désœuvrée de Montmartre ?

Le dégoût des établissements que je fréquentais, le souvenir d'une réputation louche, la disposition des rideaux sur les vitres, un jeu d'éclairage singulier, sais-je la raison véritable qui me fit arrêter ce soir-là dans « la maison de Gine » ?

Là, selon ce que tâchait de faire croire la maîtresse du lieu, se réunissaient uniquement des lesbiennes. En vérité, ce n'était qu'une raison sociale. La plupart des femmes qui fréquentaient chez Ginette, une ancienne beauté mafflue et haute de teint, formaient un troupeau misérable, prêt à se vendre au premier venu et selon n'importe quelle combinaison.

Les hommes le sentaient bien, qui venaient assez nombreux. Ils étaient de profession incertaine, portaient des cravates criardes, des souliers compliqués. Invertis, souteneurs et petits marchands de drogue y cotoyaient des gens aux vêtements sobres, aux voix discrètes et dont chaque trait respirait le vice.

Bref, malgré les efforts licencieux de Ginette, sa maison sentait le mauvais lieu et la rafle.

— C'est Madeleine qui m'a entraînée ici, me dit Elsa.

Je ne l'avais pas remarquée en arrivant, mais elle était venue s'asseoir près de moi sans montrer aucun étonnement. A titres divers nous faisions partie tous les deux du personnel nocturne de Montmartre.

— Oui, après mon histoire avec Dominique, elle n'a pas voulu rester chez lui, dit encore Elsa. Elle m'aime bien.

Je suis sûr qu'Elsa ne soupçonnait point le caractère exact de l'amitié que lui vouait la grosse fille brune. Et peut-être l'autre ne le démêlait-elle pas exactement non plus. En tout cas, il n'y eut jamais, entre ces deux femmes, de liens équivoques.

M'ayant renseigné sur les raisons de sa présence, Elsa se tut. Elle avait une expression terriblement lasse. Il ne restait plus rien sur elle de la graisse malsaine dont l'alcool l'avait gonflée. Au contraire elle était plus maigre qu'au moment de notre première rencontre. Ses joues creuses, son cou ridé, je ne sais quoi de chétif dans la nuque, dans le menton la rendaient infiniment pitoyable. On eût dit une vieille petite fille desséchée. Elle toussait assez souvent.

Je lui demandai des nouvelles de Max.

— Il habite de nouveau sous l'escalier, dit-elle d'un air absent. Au cas où quelqu'un viendrait chez moi... Mais ça n'arrive presque plus. Michel a appris la reliure. Il fait de petits travaux et m'écrit qu'il ne veut plus d'argent de moi. Alors, vous comprenez, moi... je n'ai pas beaucoup de besoins.

Elsa posa devant elle ses mains qui avaient repris leur minceur, les contempla longuement. Puis elle murmura :

— J'ai peur tout le temps.

Sa voix devint un souffle comme si elle redoutait que le destin l'entendît.

— Michel ne va pas mourir, dites...

— Mais il est guéri !

— Oh oui ! s'écria-t-elle vivement et son visage s'éclaira pendant une seconde. Oh oui, je l'ai guéri. Il fait de la culture physique de nouveau. Il marche beaucoup. Il doit être magnifique.

Elle eut un faible et douloureux sourire.

— Il me trompe peut-être.

Après un moment de réflexion elle dit sourdement :

— Ce serait mal. Je lui ai été si fidèle.

Elsa retomba dans son morne abattement.

J'essayai de ranimer son courage en lui montrant toute la différence qui s'était faite entre la condition présente de son mari et le sort qu'il subissait un an auparavant. En vain.

— Oui, oui, je sais, disait Elsa, et je suis heureuse pour lui. Mais ils ne le laisseront jamais sortir d'Allemagne. Il mourra sans que je le revoie. Alors tout ce que j'ai fait... tout... quelle misère... Le pauvre Michel, comme il a envie d'être près de moi ! Oh ! l'embrasser, l'embrasser ! Et une nuit, lui donner une seule nuit comme il n'en a jamais eue avec moi... J'étais... j'étais alors monstrueuse... Mon Dieu, pourvu qu'il ne meure pas.

Je renonçai à combattre cette douceur plaintive, hagarde et me laissai glisser à cette hébétude spéciale de l'insomnie, du petit matin, de la fatigue écrasante et sourde à laquelle contribuent si puissamment les lieux nocturnes pleins de fumée et de bruit. Le même flot étale et tiède berçait le silence d'Elsa.

Le tressaillement de son corps, qui mit fin pour nous deux à cette entente passive, je m'en souviens encore. Il fut si violent, si animal qu'il me sembla ébranler mes propres fibres.

— Qu'y a-t-il Elsa ? m'écriai-je.

Bien que ses mains fussent convulsivement serrées, elle tâcha de se reprendre et répondit :

— Rien... rien... Une idée.

Mais ses yeux, qu'elle cherchait à détourner du bar, revenaient à lui malgré elle avec une expression d'épouvante.

Je demandai :

— Vous avez peur de quelqu'un là-bas ?

Elle acquiesça d'un faible mouvement de tête, le regard toujours magnétisé dans la même direction.

— Cet homme, j'en suis sûre, me tuera, chuchota-t-elle.

— Vous êtes folle ! Qui donc ?

— Il est assis, caché par deux autres. Vous ne pouvez le voir. Attendez, attendez (ses ongles s'incrustèrent dans ma cuisse), il se lève. Il se tourne. Regardez.

L'homme ne ressemblait pas du tout à l'image qu'on peut se faire de l'assassin. Il y avait dans la salle des figures et des expressions qui, beaucoup plus que les siennes, faisaient penser à des besognes sanglantes. Lui, il était habillé d'une manière qui témoignait d'un goût très fin. Il avait une tenue parfaite. Tout dans ses manières sentait la bonne compagnie.

Pourtant, je compris pour une part la terreur d'Elsa. L'homme inspirait une répulsion instinctive et, si on acceptait de s'en faire l'aveu, une crainte sourde, sournoise, contre laquelle on ne pouvait rien.

Cela tenait surtout à la disproportion de sa structure. Il était très grand, très large d'épaules. Et de ce torse athlétique partait soudain un cou décharné, osseux, débile qui soutenait une toute petite tête. Et la figure, serrée, creuse, étroite, avec des lèvres exsangues en forme de fil, avec des yeux en même temps perçants et troubles, rappelait par sa coupe le museau des bêtes qui se nourrissent de chair morte.

Elsa chuchota :

— Il vient souvent depuis quelques jours. Il vient pour moi... je le sais.

— Il vous a parlé ?

— Oh ! non ! s'écria-t-elle en frissonnant. Je ne veux pas qu'il m'approche. A aucun prix. Dès qu'il arrive je m'en vais.

Elle se leva. Je l'accompagnai jusqu'à son hôtel. Je confesse que, plusieurs fois, durant ce bref trajet, je me retournai brusquement et sans raison.

*

A quelques jours de là, vers trois heures du matin, comme je sortais d'un bureau de tabac et allumais une cigarette avant de tourner dans la rue Mansart, une femme me saisit par le bras.

— Quel bonheur ! Je vous ai reconnu de loin. Quel bonheur ! s'écria Elsa.

Ses dents claquaient. Elle était sans chapeau.

— Je l'ai perdu en courant, je ne voulais pas aller chez moi, continua-t-elle ne liant plus ses pensées. Il me suit...

J'avais déjà examiné le trottoir, ayant senti qu'Elsa fuyait devant quelqu'un. Mais il n'était occupé que par quelques silhouettes inoffensives. Malgré moi je regardai encore.

— Non, personne, dis-je à Elsa.

— Dans la rue, murmura-t-elle sans oser faire un geste.

Il n'y avait pas un passant sur la chaussée. J'allais croire à une hallucination, lorsque j'aperçus une voiture puissante qui rampait vers nous. Je ne trouve pas d'autre terme pour cette insensible avance d'un monstre silencieux, luisant et magnifique. Derrière le volant je distinguai, sur des épaules herculéennes, une minuscule tête.

— Marchons un peu, proposai-je. Nous verrons bien.

Réglant son allure sur la nôtre, l'automobile vira, pénétra dans la rue Mansart.

— Mes jambes ne me tiennent plus, gémit Elsa.

Nous étions devant la *Cloche d'Or*, un restaurant ouvert toute la nuit où j'avais mes habitudes. Il n'y avait pas de meilleur refuge pour Elsa. Je voulais qu'elle prît quelque nourriture et une boisson chaude.

Elle me laissa commander ce que je voulus, les yeux fixés sur la porte.

Quelques instants après cette porte s'ouvrit pour laisser entrer le personnage que j'avais entrevu chez Ginette. Il s'installa juste en face de nous, demanda du café et ne quitta plus Elsa du regard.

Je remarquai l'espèce de lie qui reposait au fond de ses yeux très clairs et qui parfois les obscurcissait complètement. Ses paupières n'avaient presque pas de cils. Son visage demeurait sans mouvement, sans expression, sauf aux instants précis où je sentais un frisson violent traverser la chair tremblante d'Elsa. Alors les lèvres acérées et pâles de l'homme se relevaient et ses narines fragiles, comme usées, se dilataient un peu.

« Un maniaque, un sadique », pensai-je avec un dégoût furieux.

Elsa s'abandonnait de plus en plus contre mon épaule. Si cette confrontation ne prenait pas fin j'aurais à emporter Elsa évanouie. Je me dégageai doucement de ce corps sans force et m'approchai de l'homme.

174

— Voulez-vous m'expliquer, lui demandai-je à voix basse, ce que signifie cette persécution. Pourquoi suivez-vous cette femme ? Elle est en ma compagnie et je ne permettrai pas...

Il leva, pour m'arrêter et avec beaucoup de courtoisie, une main puissante, belle et soignée.

— Permettez-moi de vous dire, Monsieur, répliqua-t-il, que je ne persécute personne.

Il haussa la voix qu'il avait légèrement chantante malgré l'accent germanique dont il frappait et durcissait certaines syllabes.

— Je tiens simplement à contempler le plus longtemps possible la belle Elsa Wiener dont je suis un vieil admirateur.

Sa conclusion fut d'une sécheresse soudaine :

— Et je continuerai. Voilà.

J'hésitai un instant sur la conduite à tenir. User de prières, de menaces ? L'homme n'était pas de ceux qui se laissent émouvoir ni par les unes ni par les autres. La violence ? J'aurais le dessous de toute manière : physiquement d'abord, puis au poste où nous serions inévitablement conduits et où Elsa, fatalement fichée, courait un danger plus précis. La répulsion que m'inspirait le personnage m'eût, toutefois, conduit à cette absurde mesure si Elsa ne s'était soudain précipitée vers la rue. Quand je l'y rejoignis l'homme était sur le seuil du restaurant.

Je poussai Elsa dans un taxi... la menai à son hôtel.

Je fis sortir Max de son réduit et lui ordonnai :

— Quand Elsa sera couchée, tu iras dormir chez elle. En attendant nous resterons ensemble ici.

Je ne croyais naturellement à aucun péril, et je parlais ainsi pour rassurer un peu la malheureuse que la panique mettait à bout. Elle gravit en hâte l'escalier, après avoir dit à Max :

— Tu feras bien reconnaître ta voix. Je m'enferme tout de suite.

Max me demanda d'un ton incrédule :

— *Il* existe vraiment ? Madame Elsa ne parle que
de lui depuis quelques jours. Mais je croyais qu'elle
se faisait un fantôme.

— Non, c'est réel. Un demi-fou je pense, terriblement obstiné. Viens, tu vas le voir, il est devant la
porte sûrement.

Comme nous sortions de l'hôtel, l'homme mettait
sa voiture en marche. Un réverbère placé tout près
éclairait fortement son visage. Il ne nous accorda
pas un regard, appuya sur l'accélérateur, tourna
court dans la rue voisine.

— C'est une automobile allemande, dis-je à Max.
Tu as vu la plaque ?

— Je connais cette figure, murmura l'infirme.
Je l'ai déjà vue dans Montmartre mais aussi quelque part ailleurs il me semble... Où ?

Max monta dans la chambre d'Elsa sans avoir pu
s'en souvenir.

*

— Je sais qui est l'homme, cria Max en entrant
tout essoufflé chez moi le lendemain.

— Tu l'as suivi, tu lui as parlé ?

— Non ! non ! dit Max. Ce que j'ai appris est
certain.

Il se laissa tomber sur une chaise incapable de
reprendre haleine.

Dehors il faisait déjà très froid. Malgré cela de
grosses gouttes de sueur tremblaient sur les joues
de l'infirme. Il murmura :

— Que peut-il bien lui vouloir ? C'est très grave.

— Mais parle enfin, m'écriai-je. On dirait que toi
aussi tu es hypnotisé.

— Il s'appelle Ruppert von Legaart, dit l'enfant à voix très basse. Et il est, à Paris, un chef de la Gestapo.

— Allons, allons Max, dis-je en haussant les épaules, il ne faut pas que les terreurs d'Elsa soient contagieuses. Je te croyais l'esprit plus solide. Tu fais du roman à plaisir.

Sans me répondre directement l'infirme tira de la poche intérieure de son veston un journal soigneusement plié. Je commençai par en regarder le titre. C'était une des feuilles rédigées à l'usage des réfugiés allemands, moitié dans leur langue, moitié en français. Je connaissais celle que j'avais devant moi pour être la plus sérieuse de toutes et ne donner que des renseignements rigoureusement contrôlés.

La première page était entièrement remplie par une douzaine de photographies. Sous chacune se trouvait un texte explicatif. Le titre portait en lettres grasses :

« Le haut personnel de la Gestapo à Paris. »

Dans l'un des portraits je reconnus sans peine mon interlocuteur de la *Cloche d'Or.*

— C'est dans ce journal que j'avais vu sa figure, dit Max. Je m'en suis souvenu hier soir. Dès la première heure, j'ai couru ce matin à la rédaction. Et, vous voyez, j'avais raison.

Il secoua son front avec accablement, ajouta :

— Qu'allons-nous faire maintenant ?

— Attends, lui dis-je, laisse-moi lire la notice.

Elle était ainsi conçue :

« Ruppert von Legaart, né le 21 mars 1880 à Memel. Vieille famille balte. Adolescence dévoyée. Histoires de jeu et de mœurs. Complexe d'infériorité et de sadisme. A fait la guerre dans un corps franc. Cassé de grade. Ami de Roehm. Un des premiers nationaux-socialistes. Depuis l'avènement d'Hitler sert dans la police politique. Depuis août

1934 à Paris. Représente officiellement une grande marque d'automobiles allemandes. En réalité dirige en second la Gestapo en France. Cocaïnomane par accès. »

Je parcourus machinalement les autres informations abondantes et précises. Pour l'une d'entre elles l'exactitude du texte ne faisait pas de doute. Le policier allemand dont elle donnait la fiche avait été expulsé deux jours auparavant et la presse française avait donné sur lui les détails mêmes que je lisais. Or la date de la feuille des réfugiés était antérieure de deux semaines à la mesure administrative.

— Oui, assura Max, ce sont des documents indiscutables. Le directeur m'a dit qu'ils ont travaillé un an pour les réunir. Et ils sont bien renseignés. Eux aussi ils ont leur espionnage. On leur fait passer des informations de Berlin même.

Je n'avais pas besoin de toutes ces preuves pour me convaincre. Si une erreur avait été commise pour d'autres émissaires secrets, elle ne pouvait s'admettre pour Ruppert von Legaart. Sa trace était trop facile à suivre. On ne se trompe pas sur un personnage de cette envergure et de cet aspect.

Je me mis à réfléchir tout haut :

— Il est impossible qu'il se soit attaché à la piste d'Elsa pour des raisons de service. Elle n'est rien politiquement. Son mari lui-même, non plus. Sans cela ils ne l'auraient pas laissé sortir du camp. C'est une obsession de cerveau détraqué... une dose trop forte de cocaïne peut-être en ce moment. En tout cas rien de grave. Tu es de cet avis Max ?

— Je ne sais plus rien, murmura l'infirme. J'ai peur, j'ai peur de ces gens.

Je m'écriai avec irritation.

— Mais ils ne peuvent rien ici. Et ils ne vont pas machiner un enlèvement pour Elsa ou pour toi !

Allons, la seule question est de savoir s'il faut prévenir Elsa ou non. Là-dessus tu dois me répondre.

L'enfant écrasa ses poings contre ses tempes et médita longuement. Enfin il dit avec beaucoup de lassitude :

— Pour elle, il vaudrait mieux qu'elle ne sache pas. Elle est déjà à moitié folle de peur. Vous imaginez bien quelle sera son impression... Mais je pense que, tout de même, on doit la prévenir à cause de Monsieur Michel. Il faut maintenant qu'elle fasse attention à tout ce qu'elle dit de cet homme. Il fera payer son mari sans cela. Et Madame Elsa ne nous le pardonnerait jamais.

J'avais eu le même sentiment. La liberté de l'otage, sa vie peut-être, dépendaient d'un accès de fureur, d'une secousse nerveuse d'Elsa.

— Seulement, je vous en prie, continua Max, il faut que ce soit vous qui l'avertissiez.

*

Elsa supporta la nouvelle mieux que je ne m'y étais attendu. Sans doute, elle devint, en m'écoutant, toute cireuse, mais elle n'eut pas ces cris, ce délire dont j'avais redouté les assauts. Je connus bientôt la raison de ce calme relatif.

— Il était des leurs, je le savais, dit lentement Elsa. Je le savais dès le premier jour où je l'ai vu. Les gens qui sont venus prendre Michel avaient des têtes comme la sienne. Et, hier, j'ai appris qu'il était très puissant chez les bourreaux. Il m'a parlé...

Ses yeux sans vie se posèrent sur moi. Je m'écriai :

— Mais vous ne vouliez pas l'entendre.

— Je n'ai pas pu. Quand il a marché du bar vers

moi j'ai essayé de me lever. Je n'avais plus aucun moyen de le faire. Tout dans moi était cassé.

Elle aspirait l'air avec force comme si elle sortait seulement de l'envoûtement où Legaart l'avait tenue. Il me fallut attendre quelques secondes avant qu'elle réunît ses pensées. Alors elle dit :

— Il avait de la poudre blanche sur les lèvres, sur la cravate, sur le veston. Sa mâchoire du bas remuait, remuait. Il ne pouvait pas l'arrêter. La cocaïne, quand on en prend beaucoup, ça vous fait ça. Il s'est assis à ma table, de l'autre côté. Je n'ai pas bien compris tout ce qu'il disait. Il m'avait vue jouer à Munich en 1923. Je lui avais plu comme femme. C'était rare chez lui. Il est venu dans les coulisses avec des fleurs. Je ne l'ai pas remarqué. Il en a souffert pendant des années, parce qu'il savait qu'il ne pouvait pas plaire. De ça et d'autres choses pareilles à celles-là, il cherchait toute sa vie une revanche. Je devais la lui donner. Il me demandait une seule nuit. Pour cela, il ferait sortir Michel d'Allemagne. Oui il a bien dit Michel Gutmann. Il savait tout d'ailleurs.

— On n'a pas besoin d'un service secret pour tout connaître de vous, dis-je à Elsa. Il n'est pas une entraîneuse à Montmartre qui ne soit au courant de votre histoire. Vous l'avez criée à tout le monde.

Mais que pouvaient des raisonnements contre le spectre funeste qui s'était emparé d'Elsa, qui s'était glissé dans sa substance même ?

— Passer une nuit avec lui, reprit-elle, je ne peux pas. Michel me le demanderait que je ne le pourrais pas. Si c'était de la haine, peut-être. Mais ça n'a pas de nom. Déjà hier, s'il m'avait touchée, je tombais. J'avais la tête vide, vide. Il l'a bien senti. Il se gardait de m'approcher. Il avait besoin que je sois vivante pour que je souffre à cause de lui. Non ce n'est pas du délire. Je ne sais pas... un vampire... plein du sang glacé de Michel. Et il veut le mien.

— Madame Elsa, je vous en supplie, Madame Elsa, balbutia Max.

La voix de l'infirme, qu'elle avait cherché à protéger malgré tout et toujours, sembla faire revenir Elsa à elle-même. Comprit-elle que le spectacle de la démence, même passagère, peut s'imprimer à jamais dans un cerveau d'enfant ?

— Pardon, pardon, mon petit, murmura Elsa. J'avais oublié que tu étais là. Je parle de choses que tu ne dois pas savoir, que tu ne peux pas comprendre.

Elle l'entoura soudain de ses bras, le serra contre elle convulsivement.

— Défends-moi, oh ! Max défends-moi, criat-elle. Tu as bien su, tu te souviens, au commencement...

Je ne pus supporter l'expression du visage de Max.

— Pourquoi ne pas vous adresser à moi ? dis-je à Elsa.

Une lueur incrédule vacilla dans le regard traqué.

— Vous, oui, peut-être, chuchota Elsa. Un homme fort... un Français... avec vous il n'osera pas. Et vous saurez toujours me garder contre ses yeux... oui, vous venez souvent à Montmartre, alors ça ne sera pas un trop grand effort pour vous. Je ne sortirai plus seule. Nous irons ensemble chez Ginette... Je ferai boire quelques verres et reviendrai... Faites-le, faites-le ou bien on me retrouvera bientôt les veines vidées... Vous voulez vraiment ?

Qui n'aurait obéi à cette prière ?

*

Nous suivîmes l'horaire indiqué par Elsa. Je ne cherchai pas à la diriger vers un autre établisse-

181

ment que celui où elle fréquentait. Si l'agent secret voulait vraiment la retrouver, une tentative de ce genre était dérisoire.

Je n'essayai pas davantage de conseiller à Elsa la fuite dans quelque hameau désert pour laquelle j'aurais pu lui fournir les ressources nécessaires. La solitude était pour elle le pire des remèdes. Elle eût reconnu un espion dans chaque paysan et la certitude de voir paraître son persécuteur eût fait sombrer sa raison. Elle avait, sans le savoir, indiqué la meilleure méthode. Sur le champ même du danger, elle verrait l'inanité de ses craintes.

Pendant une semaine environ Ruppert von Legaart ne se montra point. Etait-il en mission ? ou, savant dans la torture, préférait-il se faire longuement précéder par son ombre ?

Je penchais vers la dernière hypothèse car il me sembla l'apercevoir un après-midi à une fête de charité très élégante où je dûs passer quelques instants.

Quoi qu'il en fût, Elsa, pendant plusieurs jours, connut un répit. Je la laissais à ses occupations et conversais avec Ginette qui avait beaucoup vécu.

— La petite est sage, me disait cette femme pleine d'expérience. Elle saoule les autres et se fait servir des cocktails à la grenadine.

Pourtant un vendredi soir, Elsa, dès que nous fûmes arrivés, but coup sur coup quatre verres de gin. En outre elle refusa de me quitter.

D'abord elle ne voulut pas expliquer ce changement d'attitude. Mais elle commanda de nouvelles boissons et l'ivresse commançant d'obscurcir son esprit, elle demanda soudain :

— Il n'est pas encore là ?

Il y avait une telle certitude dans sa voix que j'interrogeai à mon tour :

— Vous l'attendez ?

— Combien de fois faudra-t-il vous dire, s'écria Elsa d'une voix aiguë, que j'ai reçu une carte ce matin ?

Mais pour m'en convaincre, il fallut qu'Elsa me la montrât. La carte ne portait que ces mots.

« Cette nuit est la nôtre. Votre admirateur. »

— Partons, proposai-je à Elsa. Je vous enfermerai dans votre chambre.

— Il n'y a pas de serrure pour lui, répondit-elle. J'aime mieux le voir ici... Je n'ai pas peur... avec ça.

Elle montrait son alcool qu'elle vida aussitôt. Chose étrange : en parlant de boisson, elle sembla se dégriser

Et nous attendîmes.

Malgré tous les efforts que je faisais, malgré la colère qui se levait en moi contre moi-même pour tant de faiblesse je ne pouvais m'empêcher de regarder le débouché de l'étroit boyau par où l'on accédait à la salle. Pourtant je ne vis pas entrer Ruppert von Legaart. Il dut se glisser parmi les danseurs pendant que je me penchais vers Elsa. Nous ne l'aperçûmes qu'au moment où il fut devant nous.

Je suis certain que ma présence précipita sa décision. Il eut vers moi un coup d'œil de défi, approcha son visage de celui d'Elsa presque à la toucher et dit :

— Venez.

Avait-il, par trop d'impatience et trop de brusquerie, affaibli son pouvoir ? L'alcool avait-il vraiment anesthésié la faculté de penser chez Elsa ? Mais, cette fois, Legaart avait trop présumé de son empire.

Sans dire un mot, Elsa brisa le verre qu'elle tenait sur la figure de Legaart.

Près de l'arcade sourcilière, le sang jaillit. Un

mince filet rouge coula jusqu'à la bouche. Legaart ne l'étancha pas. Une sorte de soumission maladive voila son regard. Il sortit à reculons.

Elsa n'avait pas vu cette expression. Un tremblement d'agonie secouait ses doigts qui serraient encore des tronçons aigus.

— J'ai tué Michel, cria-t-elle.

Avant que j'eusse songé à la retenir, elle se leva et courut derrière Rupert von Legaart.

*

Par la suite, je ne pus jamais arracher un mot à Elsa sur la nuit qu'ils passèrent ensemble.

CHAPITRE X

Un matin de décembre, je fus tiré de mon lit par une sonnerie si pressée, si violente qu'elle ressemblait à un carillon d'alarme. Quand j'ouvris la porte, je trouvai Elsa et Max sur le seuil. Je crus à quelque catastrophe et pire encore que les précédentes, tant leurs visages tremblaient d'émotion. Mais ils étaient porteurs de la plus heureuse nouvelle. Ils la crièrent en même temps, avant que d'entrer, comme des enfants qui se disputent la joie de délivrer le premier un favorable message.

— Michel arrive, disait Elsa.

— Monsieur Michel sera ici ce soir, exultait Max.

Et tous les deux secouaient mes mains et riaient et soupiraient comme on soupire après des sanglots.

J'étais à ce point stupéfait que je demeurai avec eux dans l'antichambre sans faire un mouvement.

— Quand on a monté la dépêche dans ma chambre je n'ai pas osé l'ouvrir, dit Elsa. Je n'en reçois jamais. Je pensais à quelque chose de terrible pour Michel. Il a fallu que je demande à Max.

— Oui c'est moi, c'est moi qui ai lu d'abord, cria l'infirme.

— Mais tu n'as pas compris, rappelle-toi...

— C'est vrai, c'est vrai.

185

— Je lui ai arraché le télégramme, je l'ai même déchiré un peu. Et il y avait... il y avait...

Elle affermit sa voix qui lui obéissait mal pour réciter le texte :

« Autorisé quitter Allemagne. Serai Paris demain mardi 18 heures 20. Ne vis plus. MICHEL. »

Elsa répéta ces mots à plusieurs reprises. Elle ne pouvait s'en rassasier. Elle s'enivrait d'eux comme un croyant le fait d'un chant sacré.

— Vous comprenez, dit enfin Elsa, je n'ai pas voulu emporter la dépêche. J'avais peur de la perdre.

Nous passâmes dans l'atelier. Je retins un peu Elsa et, tandis que Max était déjà entré dans la pièce, je lui demandai très bas, très vite :

— C'est Legaart ? Il a tenu parole ?

Elle se dégagea de moi en répondant :

— Est-ce que je sais ! Et quelle importance ! Michel arrive. Il n'y a que ça maintenant. Il est en route vers moi.

Cependant Elsa ne put retrouver l'exubérance de son bonheur. Il semblait que ma question l'avait rendue au sentiment de sa condition réelle et de la dernière lutte qu'elle avait à soutenir.

— Voyons Max, dit-elle en passant sur ses yeux une main mal assurée, voyons, de quoi avions-nous parlé en venant ici ?

Elle devint soudain fébrile et s'écria :

— Le temps presse. Il est près de midi... déjà ! Eh bien Max ? Tu vois bien que je n'ai plus ma tête.

— L'hôtel, dit l'infirme. Vous vouliez...

Elsa l'interrompit fièvreusement.

— Oui, oui, je sais. Oui c'est cela... l'hôtel... Michel ne peut pas venir y habiter. Je ne veux même pas que nous logions à Montmartre. On me connaît trop là-bas. On pourrait lui dire quelque chose. Et puis, assez, assez de cet enfer. Seulement je n'ai plus un sou. Je ne me suis occupée de rien ces temps derniers. Je n'avais plus de sang dans le corps, on aurait dit. Alors il faut que vous me prêtiez...

— C'est facile, répondis-je.

— Pas seulement pour louer une chambre, reprit impérieusement Elsa. J'ai besoin de dégager mes affaires rue Henri-Monnier. Je ne veux pas que Michel se doute de la misère où j'ai été. Cela suffit que je n'ai plus une fourrure, plus un bijou. Je compte sur vous, n'est-ce pas ? Merci. Je savais bien que vous me rendriez ce service. Et ça ne me gêne pas du tout de vous le demander. Nous vous rembourserons très vite du moment que Michel sera là...

Elle reprit haleine, replia un doigt.

— Bien. Voici une chose entendue. Maintenant, la deuxième. Pour l'argent que j'ai envoyé à Michel je lui ai écrit d'abord que je l'avais eu en vendant mes affaires. Puis, j'ai dit que je donnais des leçons de chant et que j'avais parfois de gros cachets dans les soirées. Naturellement chez des étrangers. Des Américains surtout. Ils sont tous partis. C'est pourquoi en ce moment je suis un peu gênée. Vous vous en souviendrez. C'est promis ?

Je promis, admirant en moi-même que l'amour eût donné à cette femme imprévoyante et frivole entre toutes l'adresse et la constance, parmi les tourments, les crises, l'alcool et la drogue, d'établir et de poursuivre pendant des mois un mensonge sans défaut.

Elsa poursuivit :

— Une dernière prière. Accompagnez ce soir Max à la gare.

— Sans vous ! m'écriai-je.

— Sans moi... sans moi, répéta Elsa, tandis qu'une expression craintive envahissait son visage.

Je me tournai vers Max. Il inclina la tête en signe d'assentiment.

— Je ne sais comment vous dire, reprit Elsa en hésitant. J'ai... j'ai... je crois que j'ai peur de voir Michel tout de suite, d'un seul coup... seul... Il faudra même que vous restiez avec nous quelques instants, les premiers... Max, n'est-ce pas, Michel le connaît trop. Il ne compte pas... Et moi, la joie, le saisissement, j'étoufferais, je ne saurais rien montrer...

Elsa rougit légèrement et murmura :

— Et puis, je ne sais pas si j'aurai le temps d'arriver pour le train. Vous comprenez, le coiffeur... la manucure... Je dois aussi acheter une robe fraîche... Sans compter le déménagement... Ah ! indiquez-moi un endroit paisible, pas trop cher, convenable.

Je désignai un vieil hôtel qui donnait sur un quai de la rive gauche et demandai :

— C'est là que nous amènerons tout droit votre mari ?

— Attendez, attendez, murmura Elsa. Je n'y avais pas pensé. Un endroit que je ne connais pas pour retrouver Michel. Attendez...

Elle ferma les yeux, tâchant d'imaginer cette rencontre.

— Non, dit-elle enfin, je serais tout à fait glacée, perdue. Et la lumière, quelle lumière y aura-t-il ?

Elsa eut soudain un regard plein de douleur et de haine.

— Votre ami du cinéma, le metteur en scène, avec son rôle de vieille, s'écria-t-elle, il ne saura jamais le mal qu'il m'a fait ! Mais je vais être belle ce soir, vous verrez, belle comme jamais. Mon Dieu il faut que j'aille. Je n'ai pas une minute de trop pour me préparer.

« Pour le rendez-vous, eh bien, j'y penserai avec Max. Il vous le dira tout à l'heure. Au revoir.

Elsa me prit la main et tout à coup sa figure fut ardente, grave et enfantine à la fois :

— Vous serez avec lui quand je vous reverrai, dit-elle. Comme je vais être heureuse... heureuse... pourvu que je puisse le supporter.

Je l'entendis descendre l'escalier en courant.

*

— Elle a choisi l'arrière-salle du *Sans-Souci*. Il n'y aura personne à cette heure. Elle se rappelle qu'elle y a pris le thé avec vous le premier jour où vous êtes venu nous voir. Elle a gardé un très bon souvenir de l'endroit. Il y fait calme et l'éclairage est doux... C'est vrai... Mais tout de même... quelqu'un peut passer, la reconnaître. C'est dangereux. Je le lui ai dit. Elle n'a pas voulu m'entendre. Elle assure qu'elle n'y a été qu'une fois, avec vous et qu'elle ne voit pas de meilleure place.

Nous nous étions retrouvés avec Max sur un quai de la gare du Nord. Et il me parlait tandis que nous marchions le long des rails en scrutant instinctivement le gouffre obscur et tout étoilé de signaux qui s'ouvrait au fond, entre les portes du dôme métallique. De là allait surgir le monstre de fer et de fumée qui portait toute l'espérance d'Elsa.

Il nous restait une dizaine de minutes à attendre. Elles furent très longues... Un souffle gigantesque haleta enfin et nous enveloppa.

J'avais contre le mari d'Elsa une prévention aussi stupide qu'invincible. Je l'avais vue mourir peu à peu à elle-même à cause de lui.

Pourtant quand je vis Max boitiller vers le marchepied d'un wagon de troisième et saisir le poignet de Michel, toute mon hostilité tomba. On ne pou-

vait guère résister à l'attrait immédiat que déga-
geait cette figure. Michel était blond. Il avait les
yeux bleus. Ses traits étaient nets et simples. Mais,
avec ces éléments si communs, la nature avait
composé un visage qui ne l'était pas. Car toutes les
qualités d'un homme digne de vivre comme s'épa-
nouit une plante robuste et fraîche, il les portait à
l'évidence. Que Michel fût bon, simple, sincère et
généreux, on n'en pouvait douter un instant lorsqu'on avait vu briller ses dents régulières, lorsqu'on
avait éprouvé son regard et sa poignée de main.

— Michel Gutmann, dit-il en me souriant.

Je me nommai.

Il s'écria dans un français très pur :

— Je vous connais. Je vous connais très bien.
Vous avez tant fait pour Elsa. Je ne l'oublierai pas.
Mais où se cache-t-elle ?

J'avais préparé une réponse. Je pris à mon
compte l'absence d'Elsa. Sa nervosité, dis-je,
m'avait fait craindre pour elle le premier choc. Elle
n'avait cédé qu'après une longue résistance. J'expliquai également le choix du lieu où elle l'attendait.

— Je suis connu là. Vous serez tranquille. C'est
beaucoup plus près de la gare que de votre hôtel.

Une ombre avait terni la joie éclatante, affamée,
qui resplendissait jusque-là dans les yeux de
Michel.

— Elle vous a chargé de tout, je vois, dit-il
pensivement.

Mais son tempérament était peu fait pour la
réflexion, l'analyse, le doute. L'impatience heureuse
reparut sur ses traits et il s'écria :

— Eh bien, allons vite.

— Et vos bagages ? demandai-je.

Il ne tenait en effet à la main qu'un petit paquet.

— Mais je n'ai rien, dit Michel en riant. On m'a
prévenu hier que j'étais expulsé par la frontière

française, que j'avais mon visa et l'on m'a conduit au train. Je n'ai pas compris... je ne comprendrai sans doute jamais. Ce sont tous des fous furieux.

Tout en parlant, il nous poussait vers la sortie. Nous montâmes dans un taxi.

— C'est merveilleux, la liberté, dit Michel.

— Vous avez dû souffrir épouvantablement ? demanda Max.

— Au camp, ils m'ont vraiment martyrisé. Mais c'est fini, fini. Je n'y veux plus penser. Je suis moins à plaindre que toi, mon pauvre petit Max. Toi c'est pour la vie qu'ils t'ont marqué... Et j'ai Elsa.

Il dit encore :

— Elsa.

Et il se tut jusqu'au moment où le taxi s'arrêta.

Les lumières de Paris aux reflets inégaux jouaient sur son sourire qui devenait à chaque instant plus tendre, plus avide.

*

Nous n'étions pas encore entrés au *Sans-Souci* que Michel, avec beaucoup de gentillesse, me demanda :

— Vous nous laisserez vite seuls, n'est-ce pas ?

— Nous resterons une minute au plus, soyez tranquille Monsieur Michel, dit Max en riant.

Il retrouva pour le mari d'Elsa son regard d'enfant.

Dès le seuil, Michel chercha des yeux sa femme.

— Elle est dans une pièce voisine, lui dis-je.

L'impatience de Michel était si grande qu'il ne me laissa pas le temps de le conduire. Il courut vers un réduit de débarras, vers la cuisine, vers la porte du téléphone. Enfin il me rejoignit au moment où je pénétrais dans l'arrière-salle.

Là, il n'y avait personne sauf Elsa. Pourtant le

regard de Michel, ayant effleuré cette silhouette solitaire, tapie au fond d'une banquette, sous la plus faible ampoule électrique, m'interrogea. Il dut lire sur mon visage une impérieuse réponse et revint aussitôt se poser sur Elsa.

Je suis sûr que pendant une fraction de temps dont je ne puis déterminer la durée, il ne la reconnut point.

Il avait dans la mémoire, présente, vigilante, hallucinante, l'image d'une femme qui n'était que santé, grâce, assurance, éclat. Et celle-ci était une ombre pauvre, chétive et timide.

La gêne de porter un vêtement neuf ajoutait à l'impression de misère laborieuse qu'inspirait la robe de tricot achetée par Elsa l'après-midi même. Ses mailles lâches accusaient le fléchissement des seins, encore beaux mais qui n'avaient plus l'admirable épanouissement que je leur avais connu. Et pour dissimuler la défaite de son cou Elsa était munie d'un pitoyable collet de fourrure pareil à ceux que l'on voit sur les petites bonnes endimanchées. Le maquillage était réduit à l'extrême, ce qui faisait fatalement paraître la fatigue des traits, l'usure de la peau, le renoncement irrémédiable de son visage. Pour moi, toutes ces traces, toutes ces rides, toutes ces marques étaient affreusement touchantes ainsi que les tentatives désespérées d'embellissement auxquelles Elsa avait consacré ses dernières heures d'attente amoureuse. Mais que pouvaient-elles représenter pour l'homme qui ne connaissait pas leur histoire et qui, tendu depuis deux ans vers une seule vision, n'en retrouvait même pas le reflet ?

Peut-être s'il avait revu Elsa plus flétrie encore, mais ayant gardé son insouciance, sa légèreté, son prestige, Michel eût-il été moins désorienté ? Hélas, la vie qu'avait dû mener Elsa l'avait privée de ces moyens et surtout le nouvel amour qu'au tréfonds de la souffrance et de l'humilité elle avait conçu.

— Ses cheveux, oui, ses cheveux encore, murmura si bas Michel que, me tenant tout près de lui, je fus seul à l'entendre.

Du coin où elle se tenait, la pauvre forme au collet de fourrure essaya de se lever, ne put y parvenir et retomba. Ses bras se tendirent faiblement et une plainte bienheureuse arriva jusqu'à nous.

— Michel... mon amour... Michel.

La voix, elle, n'avait pas changé. L'homme qui hésitait trembla soudain. Il s'élança, prit sa femme contre sa poitrine et l'embrassa sur les lèvres, le front, les yeux. Puis d'un seul coup il l'abandonna, recula.

Je m'approchai épouvanté. Elsa n'avait-elle pas deviné ce que signifiait ce mouvement ?

Non... non... Elle riait en silence. Elle riait de joie, de ravissement sans mesure. Elle regardait Michel et jamais je n'ai surpris un feu plus doux ni plus beau au fond d'un regard humain.

— Toi... toi... Michel... enfin ! murmura Elsa. J'avais si peur jusqu'au dernier moment que ce ne soit pas vrai... Et j'avais peur aussi que tu m'aies ménagée dans tes lettres. Mais non, ils ne t'ont pas abîmé... Tu te portes bien... Montre-toi plus près, mieux... Non, tu n'as pas changé du tout.

Je vis se contracter les mains de Michel. Ses mâchoires jouèrent avec difficulté. Enfin, d'une voix si forcée, si fausse qu'elle me sembla appartenir à un autre, il dit :

— Toi... toi... non plus, tu sais.

Elsa ne remarqua rien.

— C'est vrai, c'est bien vrai ? s'écria-t-elle. Oh ! je savais bien qu'à toi je te plairais toujours. Maintenant je vais devenir vraiment belle, tu verras. Aime-moi seulement, aime-moi, Michel.

Je fis à Max un signe qui échappa complètement à Elsa mais dont s'aperçut Michel. Je sentis soudain sur mon bras une pression convulsive. L'étreinte d'un noyé.

— Vous n'allez pas partir déjà, dit Michel... Ça ne serait pas bien. Il faut tout de même que vous buviez quelque chose avec nous, pour mon arrivée.

Elsa tourna vers moi des yeux où resplendissait une fierté radieuse.

— Et moi, je ne pensais plus à vous, s'écria-t-elle. Je vous l'avais bien dit : Michel est cent fois meilleur que moi.

*

Une demi-heure plus tard, j'emmenai Max. Il fit quelques pas jusqu'à une voiture en trébuchant comme un aveugle. A l'intérieur du taxi, il laissa tomber sa tête sur mes genoux en sanglotant.

— C'est plus terrible que tout... plus terrible que tout, répétait-il sans cesse à travers les spasmes qui lui déchiraient la gorge.

Je le laissai pleurer. J'aurais voulu pouvoir faire comme lui.

CHAPITRE XI

De nouveau approchaient les fêtes du Nouvel An. Je résolus de les mettre à profit pour aller travailler dans un très haut refuge de montagne. J'avais besoin de solitude et de neige. Je voulais retrouver dans les éléments une pureté qui me faisait défaut.

La veille de la Noël, quelques heures avant de prendre le train, j'allai dire au revoir à Elsa.

Elle habitait maintenant un appartement meublé, près du Luxembourg, que Michel avait loué le surlendemain de son arrivée et dont Max m'avait donné l'adresse. Nous ne nous étions pas rencontrés depuis que j'avais conduit Michel au *Sans-Souci*.

Trois semaines au plus avaient passé. Il m'était arrivé souvent de ne pas voir Elsa pendant des mois. Mais, au cours de ses pires excès et de ses plus cruelles épreuves, je n'avais jamais surpris en elle une aussi décisive transformation. Dans un peignoir usé, sans ombre de fard, Elsa était une vieille femme.

L'infirme, qui lisait près d'elle, nous laissa aussitôt que je fus entré. Son départ ne parvint pas à modifier l'expression de mon visage. Elsa hocha la tête.

— Je suis bien finie, n'est-ce pas ? dit-elle doucement. Votre ami le metteur en scène ne m'offrirait plus le rôle que j'ai refusé.

Je n'eus pas la force de protester. Nous gardâmes quelques instants le silence.

— Michel n'est pas là ? demandai-je enfin. J'aurais voulu lui serrer la main.

— Non il est dehors depuis le matin. Il est très actif. Il voit beaucoup de gens. Il a déjà trouvé des capitaux chez les éditeurs français avec qui il était en rapport auparavant. Il va fonder une agence de traductions avec bureau à Paris. Mais le siège sera à Londres. L'affaire réussira sûrement. Michel le dit.

Une admiration douloureuse était dans sa voix que je trouvais assourdie, creusée.

— Il pourra bientôt payer mes dettes, reprit Elsa en tâchant de sourire.

Cet effort ne réussit pas. Soudain elle gémit :

— Pourquoi ne m'aime-t-il plus ? Pourquoi, mon Dieu ?

Comme je voulais répondre, elle éleva un peu ses mains desséchées et pria :

— Non... non... taisez-vous. A quoi bon ? Je ne suis plus belle, je sais. Mais c'est pour lui... pour lui... Et même maintenant s'il avait eu la patience... j'aurais su lui plaire... j'aurais eu le courage. Je me serais soignée... Mais quand, la nuit, je me serre contre lui, il me caresse les cheveux comme un frère... Alors pour qui lutter ! Et à quoi bon ?

J'écoutai le son humble de cette plainte et je pensai que même si Elsa avait pu retrouver l'éclat intact de sa beauté cela ne lui eût servi de rien auprès de Michel. L'amour se nourrit de mystère et de distance. Ces privilèges, dont Elsa avait été parée, ils étaient passés maintenant du côté du mari. Le destin avait renversé les fléaux de la balance. C'est surtout en l'aimant comme une inférieure qu'Elsa avait perdu Michel.

Je fus tenté de le lui dire. Mais une lassitude immense m'avait envahi. Comme le répétait Elsa elle-même, à quoi bon ?

Je n'eus plus qu'une idée : partir, ne plus voir ces yeux où j'avais vu parfois se lever la démence et qui me semblaient aujourd'hui par leur indifférence plus effrayants encore. Au moins, quand Elsa avait couru rejoindre Ruppert von Legaart, le demi-fou de la Gestapo, elle avait encore quelque chose et quelqu'un à défendre...

Elle me devina.

— Il ne faut pas perdre votre temps avec moi, dit-elle sur un ton d'amitié profonde. Vous n'en avez que trop gâché. Et vous ne savez pas combien je suis émue que vous ayez pensé à me dire au revoir... Vous êtes le seul être au monde avec qui je sois moi-même. Vous savez tout... tout. S'il le faut, vous pourrez lui dire.

Sa voix se fêla légèrement. Mais, se reprenant très vite, Elsa m'attira à elle et murmura :

— Allons, embrassez-moi. Très fort.

Elle ne m'accompagna pas quand je passai chez Max.

*

La pièce réservée à l'infirme était petite, claire et paisible. Des rayons couverts de livres cachaient presque entièrement les murs. La fenêtre donnait sur une rue silencieuse, bordée de jardins et comme provinciale.

C'était elle que Max contemplait lorsque j'entrai.

La regardait-il vraiment ? Ou se bornait-il à chercher, comme les malades, les anxieux, les captifs, la fraîcheur de la vitre contre laquelle il pressait son front ?

Il tourna vers moi, lentement, péniblement, sa

grosse tête. On eût dit qu'il le faisait par obligation, à regret. Ses yeux m'examinèrent fixement mais aussi avec une distraction singulière. Ils semblaient ne pas me voir et, à travers mon enveloppe, considérer quelque chose qui ne me concernait point.

Cela me fit très mal.

Jusqu'alors, et au milieu des souffrances les plus cruelles, ma présence avait toujours éveillé chez Max un sentiment de joie, la chaleur de la confiance, l'appel à l'aide. Je ne trouvais plus rien de ces mouvements intérieurs et qui m'étaient précieux dans le regard vide, indifférent, que l'enfant m'adressait en silence. Max n'attendait plus de moi aucun secours.

Je fis semblant de ne pas remarquer son attitude et dis :

— Tu as une chambre très agréable. Tu dois bien travailler ici.

L'infirme ne répondit pas. Je repris, cherchant à émouvoir en lui la fibre la plus profonde et en même temps la mieux protégée :

— Enfin tu as une vraie bibliothèque !

Max eut un rire sec, bizarre.

— Oui, c'est le mari de Madame Elsa qui a choisi les livres. Ils sont tous intéressants. Il a du goût.

Ses lèvres prirent soudain une expression altière et méchante que je ne lui connaissais pas et il ajouta avec une fureur sans éclat, mais si passionnée, si lourde qu'elle parut l'épuiser d'un seul coup :

— Je ne les ouvrirai jamais. Il ne m'achètera pas, même ainsi. Je le hais.

Cette sourde explosion me laissa stupéfait, incapable d'une réaction utile. Max retourna à la fenêtre. Son front s'appuya de nouveau contre la vitre. Il respirait difficilement. Son haleine, par instant, embuait le carreau d'un voile léger. Par-dessus ses épais cheveux (il était si bref de taille) j'apercevais les rares mouvements de la rue qui semblait endormie.

Un plaintif murmure m'arracha à ce spectacle. Il venait d'une bouche que je ne voyais pas et paraissait être le gémissement de ce torse difforme, tassé sur un bassin rompu.

— Je ne savais pas, chuchota Max, je ne savais pas, quand j'habitais sous l'escalier, combien j'étais heureux encore.

Sa voix se fit monotone, impersonnelle. Il ne parlait point pour moi, pas même pour lui. Simplement ses pensées qui, durant des semaines, n'avaient pas cessé de l'emprisonner dans un cycle impitoyable se faisaient jour, prenaient la forme du langage.

— Je souffrais alors, mais pour une fin qui était belle. Je pensais qu'il y aurait une récompense à tout cela, une justice. Chaque fois que les marches craquaient dans mon cerveau, je répondais : « Comme elle sera heureuse quand il reviendra. Comme elle sera aimée pour tous ses tourments. En attendant je l'aiderai... » Et je me bouchais les oreilles et je continuais à apprendre. Maintenant je n'aime plus lire.

Brusquement, Max me fit face. Un feu sauvage attisait le sombre éclat de ses yeux.

— Et je le respectais, je l'admirais tant ! s'écriat-il. J'ai tout fait pour la garder à lui. Et il nous a enlevé l'envie de vivre !

Son menton s'affaissa, son regard devint terne et désert.

— Vous avez vu Madame Elsa ? demanda-t-il à voix basse. C'est une demi-morte. Il achève de la tuer chaque jour.

— Tu ne me feras pas croire qu'il la traite avec cruauté ! m'écriai-je.

— Qui vous parle de cruauté ! répondit l'infirme

avec emportement. Mais je l'assassinerais, je vous le jure. Cela ne vous suffit pas qu'il ne l'aime plus ? Alors qu'il devrait se tenir à genoux devant elle... Savez-vous quel est encore le seul contentement pour Madame Elsa ? Repasser ses costumes... laver son linge... Oui... Elle !

A la faveur du long silence qui s'établit entre nous j'entendis jouer la porte qui donnait accès à l'appartement. Quelques instants après Michel pénétra dans la chambre de Max.

Il me parut encore plus plaisant à regarder que lors de notre première rencontre. La vigueur de l'hiver animait son teint d'un sang plus léger et plus prompt. Son visage avait une expression d'intense activité spirituelle. Le froid et le travail allaient bien à Michel.

Il me serra la main d'une manière qui, à elle seule, valait qu'on l'aimât.

— Vous voici enfin ! s'écria-t-il. Vous nous aviez complètement abandonnés. Naturellement, vous déjeunez avec nous ?

Je m'excusai, lui expliquant tout ce qu'il me restait à faire avant mon départ. Une déception sincère altéra sa figure.

— Ce n'est pas très amical, dit-il avec gentillesse.

Je ne sais pourquoi le visage d'Elsa, vieilli et dévasté, passa soudain devant mes yeux. Et, sans pénétrer exactement la nature du sentiment auquel j'obéis, je demandai à mi-voix :

— Vous préférez toujours qu'il y ait quelqu'un entre votre femme et vous ?

Michel ne répondit pas tout de suite. Mais son bref silence ne fut pas, je le sentis profondément, causé par un embarras, un scrupule ou même une hésitation. Son regard attentif et sérieux alla de mon visage à celui de l'infirme, puis revint se poser sur moi. Il essayait de deviner la qualité de l'entente qui pouvait me lier à Max.

Enfin, très lentement, de la façon la plus triste, la moins discutable, Michel déclara :

— Vous vous trompez entièrement. Je tenais à vous garder parce que j'ai une grande sympathie pour vous. En dehors de toute l'amitié que vous avez montrée pour Elsa. J'aurais aimé à parler avec vous des auteurs français, de la guerre que nous avons subie chacun de notre côté, de l'avenir prochain, de bien des choses que nous avons en commun... Je suis sûr que nous sommes faits pour être de vrais camarades.

Il avait raison. Peu d'hommes m'ont inspiré dans l'existence un attrait aussi vif, immédiat et naturel que celui-là qui était pourtant d'un pays étranger. Mais l'ombre d'une femme dont j'avais accompagné pas à pas la marche suppliciée était entre nous.

Michel sembla sentir également cette présence lorsqu'il poursuivit, choisissant ses mots avec soin :

— En vous priant de rester, je n'avais aucune arrière-pensée. Elsa et moi nous n'avons pas besoin de paravent, de masques. Tout doit être réglé entre elle et moi. Tout est déjà réglé. Le soir de mon arrivée, dans ce café, j'ai été faible, je vous ai retenu, c'est vrai. Mais alors j'avais un sentiment affreux de peur et de faute. Je ne reconnaissais plus rien autour de moi... en moi. Je ne savais plus rien. Maintenant, je sais.

Un soupir où se mêlaient la plainte et la colère secoua les épaules de l'infirme. Michel se tourna légèrement vers lui, parut hésiter un instant. Mais bientôt il reprit, d'un accent plus grave, plus résolu :

— Oui, Max, il faut que tu entendes cela toi aussi. Toi surtout. Assez de silence, de malentendus, de sous-entendus. Tu es comme notre enfant.

— Je ne suis plus le vôtre, déclara l'infirme avec dureté.

Michel fronça les sourcils et serra les dents. Ce n'était pas l'impatience qui contractait ainsi son visage sensible. Il résistait à une douleur que je devinais, que je partageais. La gravité de ce reniement, la perte de cette tendresse enfantine, il dut pénétrer leur caractère irrévocable et les subir comme une soudaine mutilation.

Peu à peu cependant le calme revint sur la figure de Michel. Il eut, dans les yeux, cette sorte de sérénité austère qui ne s'achète qu'au prix d'un débat intérieur décisif et d'une vérité choisie sans retour possible.

— C'est ton droit de me rejeter, dit-il à Max très doucement. N'importe ! Tu me resteras toujours aussi cher. Tout ce que je demande c'est que tu ne me juges pas faussement.

Michel parlait à ce garçon de quatorze ans comme à un égal. C'était à lui qu'il s'adressait beaucoup plus qu'à moi. C'était lui qu'il cherchait surtout à convaincre. Je ne m'en étonnai pas. Depuis longtemps j'avais pris l'habitude de ne plus penser à l'âge de Max.

— Réfléchis d'abord à ceci, dit Michel. Depuis deux ans tu as vu Elsa chaque jour. Pour toi sa transformation a été insensible. Elle est devenue, minute par minute, une autre femme sans que tu t'en aperçoives. Tandis que moi, je l'ai découverte tout d'un coup. Rien ne m'y préparait. Rien ne m'avait fait soupçonner, pressentir ce changement. Elsa était à Paris, en sécurité, elle avait de l'argent puisqu'elle m'en envoyait...

— Taisez-vous, mais taisez-vous donc ! supplia Max.

Il tremblait affreusement. La souffrance déchirait

son visage. Il enfonça son poing entre ses dents comme un bâillon.

— Aie le courage de regarder les choses en face, répliqua Michel avec une légère hésitation, et ne m'interromps plus. Pour intelligent que tu puisses être, tu n'es pas encore un homme formé. Tu n'as pas dépendu d'un visage et d'un corps. Tu n'as pas été bienheureux ou torturé pour une expression ou une attitude. Tu n'as pas été amoureux, ni jaloux.

Max baissa la tête, tandis que se méprenant sur la cause de ce mouvement, Michel poursuivait :

— Tu vois que j'ai raison. Et tu sais bien que, aujourd'hui comme avant, je donnerais chacun de mes membres pour la joie d'Elsa, pour sa santé. Tu le sais, dis ?

L'infirme ne répondit rien. Je pensais que les mêmes mots — ou presque —, je les avais entendus d'Elsa à l'égard de Michel lorsqu'elle n'avait pour lui que de la tendresse et du dévouement. Et il continua de parler comme elle l'avait fait alors :

— Mais je ne peux plus avoir d'amour pour elle. Est-ce ma faute ? Est-ce ma faute ? Crois-tu que j'en sois heureux ? Que je n'aie pas essayé de lutter contre moi-même ? Que cette place vide n'est pas terrible ? Mais peut-on forcer le sentiment le plus mystérieux du monde ? Je donnerais tout pour le retrouver. Je consentirais à retourner en Allemagne. Mais je ne peux pas, je ne peux pas.

Michel n'avait pu conserver son calme. Le combat intérieur qu'il avait soutenu, les remords qu'il avait dû vaincre, la conclusion féroce, tragique et fatale qui s'était imposée à lui, tout cela était encore trop proche, trop brûlant, trop humain et inhumain à la fois pour qu'il n'en fût pas bouleversé. L'instinct de la conservation possédait son visage qui, dans cet effort, paraissait plus jeune et plus beau.

Ce visage penché vers lui pour arracher son assentiment, Max le considéra avec une haine impossible à rendre.

— Vous n'auriez pas les joues tellement fraîches, dit-il, si Madame Elsa n'avait pas tout fait pour vous.

Michel recula. On eût dit qu'il avait été frappé sur ces joues mêmes que Max montrait d'un geste insultant. Puis il ordonna :

— Je te défends de me parler ainsi. Tu n'en as aucun droit.

— Il s'agit bien de moi ! Quand elle...

— Cela suffit, Max. Je sais mieux que n'importe qui ce que je dois à Elsa. Toi, tu exagères tout comme un enfant que tu es encore. Elsa a partagé ses ressources avec un mari malade et prisonnier. Tout ami véritablement eût agi de même.

— Ce n'est pas ainsi que vous raisonniez dans vos lettres.

Une légère confusion parut dans le regard assuré de Michel, mais il se reprit vite et répondit :

— J'exagérais aussi, parce que, alors, toute gentillesse de la part d'Elsa me semblait surnaturelle... La solitude, la faiblesse, et... et... (il fit sur lui-même un effort décisif) la déformation amoureuse... Voilà... Aujourd'hui je vois tout selon une juste mesure. Le secours d'Elsa n'avait rien que de normal.

Max me saisit les mains. Son étreinte avait une force d'hystérie.

— Vous l'entendez ? Vous l'entendez ? cria-t-il. C'était normal ! normal ! c'est trop. Il faut tout de même lui dire...

Mon regard, à coup sûr, n'eût point suffi pour arrêter la résolution de l'enfant affolé. Mais Elsa parut sur le seuil de la chambre.

Je fus certain qu'elle avait entendu le débat qui

s'était livré autour d'elle, en tout cas sa dernière partie. Les cloisons de l'appartement étaient minces. Pour la première fois, dans ce lieu, les instincts, les sentiments contraires, cessant de s'affronter en silence, avaient pris le feu et l'éclat de la passion. Les voix avaient atteint leur diapason le plus haut, elles étaient parvenues jusqu'à Elsa. Rien n'aurait pu, sans cela, expliquer cette terrible pâleur et la nouvelle agonie de ses yeux.

Cependant, elle s'approcha doucement de Michel, l'embrassa et dit :

— Laisse-nous, mon chéri. Max est terriblement nerveux en ce moment. Toi aussi. Tu travailles trop. Et moi je ne suis pas assez gaie ni courageuse pour vous aider.

Il y avait trop de douleur désintéressée dans cette voix pour qu'il fût possible de lui résister.

Quand Michel eut quitté la chambre, je m'approchai de Max qui continuait à grelotter. Plus encore pour Elsa que pour lui, j'essayai de donner aux propos de Michel un sens qui les émoussât, les adoucît.

— Il faut commencer à comprendre la vie, dis-je à l'infirme. Il faut que tu te rendes compte qu'il y a plusieurs sortes d'amour. Ils peuvent être aussi beaux, aussi puissants. Celui que Michel, maintenant, éprouve pour Elsa...

Je fus arrêté par un cri de panique mortelle, un cri d'égorgé :

— Non, non, ce n'est pas vrai, hurla Max. Vous n'avez pas le droit, je ne veux pas de votre vie... je... je...

Le reste de cette clameur épouvantée, de cette révolte de tout l'être, se perdit dans des hoquets et des convulsions.

— Allez-vous-en aussi, m'ordonna Elsa.

Je reculai lentement vers la porte. Elsa m'oublia aussitôt. Agenouillée près de Max elle murmurait :

— Mon petit Max... Tu es le seul... le seul encore...

*

Dans le corridor Michel marchait à grands pas. Un pli inaccoutumé creusait son front très blanc et très lisse. Il tressaillit en m'entendant venir.

— Le pauvre enfant, dit-il. Quelle sensibilité terrible. Il ressent les choses plus douloureusement qu'Elsa elle-même.

Michel hésita, chercha du regard mon approbation et reprit :

— Vous avez vu comme elle est calme. Je suis sûr que, elle aussi, elle évoluera. Je lui ferai une vie si douce.

Sans doute perçut-il chez moi une incrédulité irréductible, car, soudain, il me prit par l'épaule et dit très bas :

— Quoi qu'il en soit, ce n'est pas ma faute, n'est-ce pas ? Descendez en vous-même et répondez en homme. Dans des conditions pareilles auriez-vous été différent de moi ?

— Je ne le pense pas, dis-je avec un sentiment de complicité sans noblesse.

CHAPITRE XII

Dans les premiers jours de l'année nouvelle, le funiculaire du soir monta jusqu'à un petit hôtel enfoui parmi les neiges une lettre de Max.

Elle était très épaisse. Je crus d'abord qu'il m'envoyait une traduction ou un conte composé par lui. C'était en vérité bien autre chose : le dénouement de l'histoire d'Elsa.

J'ai gardé cette lettre.

La voici, avec son sens naturel du récit, son style encore naïf, son tourment stupéfait.

Notre grand ami,

Je n'aurais pas voulu gêner votre travail. Mais je ne peux pas faire autrement. Madame Elsa m'a demandé un jour, voici longtemps déjà, que, s'il lui arrivait quelque chose dont elle ne pourrait pas vous prévenir, je la remplace. Je vous écris pour elle. Mais aussi pour moi. Je voudrais tant savoir : suis-je vraiment coupable ? Et pourquoi ? En quoi ?

Après votre départ, Madame Elsa et son mari ont semblé se trouver beaucoup mieux ensemble. Et j'ai pensé : peut-être aviez-vous raison et j'ai été encore plus navré de mon attaque de nerfs, la première et la dernière de ma vie, je vous le jure.

Pour moi, ils ont été tous les deux d'une gentillesse

extraordinaire. Madame Elsa surtout. Elle m'a tenu tout le temps près d'elle. Et je lui faisais un grand bien, je l'ai senti. Elle a recommencé de faire attention à sa toilette. Elle a laissé un peu les soins ménagers pour s'occuper d'elle-même.

Avant-hier, elle a été chez un coiffeur célèbre et a essayé un nouvel arrangement de cheveux. Cela lui allait beaucoup mieux. Je l'ai remarqué tout de suite et le lui ai dit. Mais son mari ne s'en est pas aperçu. Il venait de signer un contrat très important et ne pensait qu'aux affaires.

Après le dîner, lorsque Madame Elsa est venue comme toujours m'embrasser dans ma chambre, elle m'a demandé :

— Alors, Max, alors, tout ce que je peux faire ne sert donc à rien ?

Je ne savais que répondre. Elle a réfléchi et ajouté :

— Demain, je verrai tout à fait clair.

Hier matin, selon notre habitude, nous étions seuls avec Madame Elsa parce que son mari était parti de bonne heure. Elle ne m'a pas quitté une seconde. Je faisais une version anglaise. Elle m'a regardé travailler, ne voulant pas que je lui parle. Par moments, je m'arrêtais d'écrire pour chercher des mots dans le dictionnaire. J'en profitais pour l'examiner très vite mais attentivement parce que son attitude me paraissait tout à fait bizarre.

Elle se tenait assise sur mon lit, sans bouger. Mais au-dedans d'elle, je sentais un mouvement plus violent que d'ordinaire. Elle se préparait à quelque chose. Elle se reposait pour cela à l'avance, et sans perdre de vue une seconde ce qu'il lui fallait faire. Son visage était animé, courageux. Je ne sais pas comment vous dire exactement : elle avait une expression de quelqu'un qui attend le combat.

Cette expression, Madame Elsa l'a conservée jusqu'aux environs de midi, jusqu'au moment où nous avons entendu son mari rentrer. Alors, elle s'est levée brusquement pour aller le rejoindre. Près de la porte, elle a hésité et m'a dit à voix basse :

— Viens avec moi, il le faut.

Nous avons gagné la chambre voisine. J'avais peur, je ne savais de quoi. Depuis longtemps je n'avais éprouvé une anxiété pareille. Chez Madame Elsa, elle était beaucoup plus terrible encore, malgré l'éclat tout nouveau de ses yeux. Je le devinais parce qu'elle me serrait le poignet sans s'en rendre compte...

Le mari de Madame Elsa nous a accueillis très joyeusement. Ses affaires allaient aussi bien qu'il pouvait le désirer. Il était plein de santé, de confiance. Vous l'avez vu il n'y a pas longtemps. Vous l'imaginez sans peine.

Son premier mouvement a été d'attirer Madame Elsa contre lui pour l'embrasser sur le front, comme il le fait maintenant, au lieu de lui baiser la main comme il le faisait auparavant. Sans cesser de me tenir, Madame Elsa l'a repoussé doucement, résolument.

Il a demandé :

— Tu ne te sens pas bien ?

Madame Elsa lui a fait signe qu'il se trompait.

— Tu es fâchée contre moi ? a-t-il demandé encore.

— Ce n'est pas cela du tout, Michel, a dit Madame Elsa.

Elle a respiré très profondément avant de continuer. J'ai senti ses doigts entrer dans mon poignet. Mais elle a parlé avec un grand calme. Sa voix ne l'a pas trahie un instant.

C'est drôle comme chaque mot et chaque geste, pour le début de cet entretien, me sont restés dans la mémoire. Je pense que c'est à cause de ma peur.

— Ce n'est pas cela du tout, Michel, a dit de nouveau Madame Elsa. Je ne veux plus que tu m'embrasses avant que je sache si je le mérite encore... si tu estimes que je le mérite.

Son mari la regardait sans comprendre, naturellement. Mais moi, à ce moment, j'ai eu la certitude de ce qui se préparait. Et j'ai voulu supplier Madame Elsa de renoncer, de se taire. Mais mon angoisse était si grande, elle me tenait tellement à la gorge que je n'ai rien pu dire. Madame Elsa, tout de même, a deviné la prière, ma terreur. Elle a semblé m'entendre parce qu'elle m'a répondu :

— Non, laisse, Max. Il le faut.

— Mais, qu'y a-t-il enfin ? s'est écrié son mari. Pourquoi ce mystère ? Cet air si grave ?

— Ecoute, Michel, a dit Madame Elsa. Je t'ai caché jusqu'à présent certaines choses. J'ai même tout fait pour cela. Je voulais t'épargner. J'avais peur pour ta santé, ton moral. J'avais également peur pour moi. Mais le jour est venu. Tu es en parfait équilibre (y avait-il dans ces paroles de la joie ou de l'amertume, je ne saurais vous le dire !) et moi je ne peux plus connaître la moindre paix avec ce secret à porter toute seule, tout le temps. Peut-être... si j'avais été très heureuse... Oui, si ton bonheur avait dépendu de mon silence... Mais pourquoi penser à ce qui aurait pu exister !...

C'est là que son calme tout à coup abandonna Madame Elsa. Elle a rejeté ma main, comme si elle n'avait plus besoin d'aucun appui, d'aucun soutien. Elle s'est avancée vers son mari jusqu'à le toucher, l'a regardé au fond des yeux et crié :

— Michel, pendant une année je me suis saoulée chaque soir, j'ai pris de la cocaïne, de l'héroïne, j'ai été une putain à la nuit, à l'heure. J'ai...

Elle s'est interrompue parce que son mari, stupéfait, murmurait :

— Qu'est-ce que tu racontes ? Qu'est-ce que tu inventes ?

Madame Elsa a crié plus fort encore :

— Ah ! tu ne me crois pas ! Eh bien, tu vas tout entendre depuis le commencement.

A partir de cette minute, je ne peux plus vous répéter du tout ce qu'elle a dit. Elle allait si vite, si vite ! Sa figure était couverte de taches rouges. Sa voix, à certains instants était si haute, si aiguë qu'elle aurait dû se casser. Tout de suite après on l'entendait à peine. Mais Madame Elsa eut la force de tout raconter. Ce que je savais, ce que je devinais et beaucoup d'autres choses dont je n'avais pas idée.

Sans doute, vous-même ne les soupçonnez pas ; elle a dit les noms qu'elle connaissait des hommes. Elle a parlé aussi de ceux qui pour elle n'avaient pas de nom. Et leurs exigences et leurs coups et leurs saletés et leurs odeurs... Je comprenais à peine la moitié de tout cela. Je ne cherchais pas à mieux savoir. A moi, pour l'essentiel, Madame Elsa n'avait rien à m'apprendre.

Ce que j'aurais voulu c'est reculer, reculer, disparaître. Ou au moins m'asseoir dans un coin, les jambes ne me portaient plus. Mais au contraire, je devais rester près d'elle, l'assister, la défendre. Je suivais chacun de ses mouvements pour ne pas la quitter d'un pas et même je tâchais tant que cela était possible de me placer entre elle et son mari ; je craignais sans cesse qu'il fît quelque folie contre elle.

Il était si pâle, si pâle, tellement silencieux ! On pouvait tout attendre de sa part. S'il avait interrompu Madame Elsa, ou s'il avait, fût-ce un instant changé d'expression, j'aurais eu moins peur. Mais il se taisait de telle manière qu'il semblait avoir perdu pour toujours le pouvoir de parler. Et son visage, son corps, étaient aussi paralysés. Oh ! comme vous m'auriez secouru si vous aviez été là !

Cet appel désespéré que l'enfant m'avait alors

adressé je crus l'entendre de ma chambre qui
sentait le sapin verni, la montagne et la nuit
neigeuse. Son angoisse mortelle, je la partageai.
Certes, les événements dont je voyais la trace sur les
feuilles quadrillées étalées devant moi, je savais
bien qu'ils appartenaient au passé et que leur cours
était déjà révolu. Mais je connaissais tellement les
êtres dont ils marquaient le destin, j'avais été si
étroitement mêlé à leur germe et à leur acheminement qu'ils prenaient pour moi une vie hallucinatoire.

Il me fallut ouvrir la porte de mon balcon, aspirer
l'air glacé avant de reprendre ma lecture.

Le sens exact de ce que disait Madame Elsa,
écrivait Max, *m'a frappé seulement lorsqu'elle en
vint au demi-fou de la Gestapo. J'ignorais cette
dernière horreur. Et vraiment, je ne pouvais pas
m'imaginer qu'on pût accepter cela, même pour le
plus grand amour.*

*Et quels devaient être les sentiments de l'homme
qui avait été la victime de hyènes semblables en
entendant sa femme raconter la nuit qu'elle avait
passée avec Legaart ?...*

*Je doutai de la raison de Madame Elsa. On eût dit
qu'elle cherchait à inspirer une répugnance sans
remède. Ce fut sur cette atrocité que, enfin, elle s'est
arrêtée.*

*Jamais je n'oublierai le silence qui a suivi. Malgré
tout ce qui s'est passé après, je l'ai encore dans les
oreilles, dans les tempes, dans la poitrine. Personne
de nous n'osait respirer.*

*Puis le mari de Madame Elsa a fait un mouvement
en avant. Elle n'a pas bougé de place, mais elle a rejeté
sa figure et son buste comme pour se protéger de lui.
Moi, je m'apprêtais à sauter sur ses mains, à entraver ses jambes avec les miennes. Mais soudain, il*

a eu une clarté vraiment merveilleuse dans les yeux et j'ai senti que je n'avais plus besoin de rien craindre.

Il a pris la tête de Madame Elsa et il l'a appuyée contre son épaule. Et il a dit avec des lèvres qui tremblaient, qui tremblaient affreusement :

— Pardon... Elsa... pour moi... pardon.

Je voyais qu'il s'efforçait d'ajouter autre chose. La pitié, la reconnaissance, l'admiration le bouleversaient, lui si calme, à la limite de ce qui est supportable. Il ne pouvait rien exprimer. Il tâchait de tout mettre dans le geste de ses doigts qui caressaient le visage de Madame Elsa.

Elle, elle semblait morte.

Mais soudain Madame Elsa s'est détachée de lui. Il a voulu parler. Elle lui a fait signe de se taire et de quitter la chambre. Il est sorti.

J'avais envie de le suivre pour lui dire combien j'avais de gratitude pour sa bonté, sa compréhension. Il m'a été cher dans cet instant, comme auparavant. Je me suis approché de Madame Elsa, tellement joyeux...

Mon Dieu! mon Dieu! ne comprendrais-je donc rien à la vie, ou suis-je encore qu'un enfant?

Lorsque Madame Elsa a vu le bonheur sur mon visage, elle s'est mise à hurler :

— Petit imbécile, tu n'as donc pas senti que je voulais savoir s'il pouvait être encore jaloux. Cet homme qui pâlissait quand dans un restaurant quelqu'un me regardait trop longtemps! Jaloux? Lui... Ah! maintenant... ni lui ni personne.

Alors, elle m'a saisi aux épaules et, avec des yeux épouvantablement attentifs, des yeux de mendiante, elle m'a demandé tout bas :

— Mais toi... tu es jaloux de moi comme nul au monde... n'est-ce pas? Et tu ne savais rien de ce que j'ai fait? Alors, pourquoi avais-tu l'air si heureux

213

tout à l'heure ? Tu n'as rien compris de ce que j'ai raconté ? C'est pour cela ? dis !

Pour apaiser chez Madame Elsa un mal que je sentais sans en connaître la nature, j'ai failli lui faire croire à mon ignorance. Mais j'ai eu trop peur qu'elle se mît à m'expliquer ses nuits. Je crois qu'elle l'aurait fait. Elle avait besoin de certitude. Je lui ai dit que j'avais deviné depuis longtemps ce qu'elle avait accepté pour son mari et que je ne pouvais être surpris maintenant.

Elle a commencé à frissonner en répétant :

— Tu savais... tu savais... tu savais...

Puis sa figure est devenue celle d'une ennemie.

— Et tu m'as détestée, je pense ! a-t-elle crié.

Poussé à bout par tant d'injustice, je me suis mis à pleurer et j'ai dit :

— Mais au contraire. Vous l'avez bien senti. Je vous ai chérie davantage, je vous ai vénérée. Vous aviez pour moi tellement...

Je n'ai pu continuer. Madame Elsa m'a mis une main sur la bouche et a chuchoté :

— Tu me... Oh ! assez... Tu ne vois donc pas... toi aussi, tu as cessé de m'aimer.

— Je vous aime, ai-je dit, je vous aime plus que jamais.

— Cet amour-là ou rien ! a-t-elle dit encore.

En chancelant, elle est allée devant une glace. Un instant une misérable figure, toute creusée, toute affaissée, l'a regardée. Madame Elsa a projeté ses mains devant cette image.

— C'est bon... c'est bon, a-t-elle murmuré. Va-t'en.

Ni son mari ni moi, n'avons osé la déranger. Mais il n'est pas allé à ses affaires. Nous sommes restés tous les deux à guetter les bruits de l'appartement.

Vers quatre heures de l'après-midi, Madame Elsa est venue sur le seuil de la chambre où nous étions. Elle avait un manteau, un chapeau et une voilette.

Elle nous a dit, d'un ton singulier, comme si elle nous connaissait à peine :

— Ne vous inquiétez pas de moi. Je sors prendre l'air.

Le soir même, un agent est venu nous avertir. Madame Elsa avait eu un accident. Elle était tombée juste devant un autobus en marche. A l'hôpital, on n'a rien pu faire. Elle est morte ce matin, sans avoir repris conscience.

Pouvez-vous croire que c'est un accident ?

Son mari en est persuadé. C'est ce qu'elle voulait. Moi je ne peux pas le croire aussi fort que je le désire. Non, je ne le pourrai jamais. J'ai vu ses yeux le dernier. J'ai vu que je lui donnais le coup de grâce, sans savoir, sans comprendre comment. Je ne le sais pas encore. Est-ce ma faute, dites-le-moi, je vous en supplie ? Est-ce moi qui ai fini de la tuer ? Et pourquoi ? Et comment faut-il donc aimer pour, en même temps, être heureux et rendre heureux ?

Je gagnai mon balcon. Il surplombait une faille profonde au creux de laquelle, parmi la ténèbre, vacillaient, très rares et très faibles, des feux humains. En haut, la lune se levait sur des pics blancs et lisses, d'où semblait sourdre une clarté surnaturelle. Peut-être y avait-il là une réponse à l'interrogation désespérée de Max. Mais cette réponse n'était pas de celles qui puissent être entendues et acceptées au seuil de la vie.

Quand le froid aux lames de cristal m'eut fait rejoindre ma chambre, je remarquai, parmi les feuillets remplis d'une écriture noueuse, un morceau de papier plus petit. Il portait quelques phrases visiblement rajoutées par Max au moment de clore la lettre.

Même si vous croyez à un suicide, n'en dites rien au mari de Madame Elsa. Il faut faire selon ses désirs à elle.

Madame Elsa ne nous a pas reconnus dans son délire, elle n'a jamais parlé de nous. De vous non plus. Le seul homme qu'elle a appelé plusieurs fois était M. Louis.

Je pliai la lettre de Max. Je la mis dans une poche et m'en allai errer à travers la neige obscure. Quand je fus complètement épuisé, je rentrai dormir.

CHAPITRE XIII

Des mois et des mois ont passé.

Maintenant, Michel habite Londres.

Avant de partir, il a proposé à Max de le mettre en pension dans un grand lycée. L'infirme a refusé.

L'argent que Michel lui a adressé pendant les premiers temps de leur séparation, Max l'a renvoyé obstinément.

Quand j'ai appris à Max que Michel était fiancé avec une actrice anglaise qui ressemblait à Elsa, il a paru ne pas entendre.

C'est un adolescent difforme, un peu trop renfermé, avec des yeux et un front magnifiques. J'ai pu le placer chez un éditeur pour faire des paquets de livres.

Il a écrit quelques essais, des fragments de nouvelles. Il va souvent sur la tombe d'Elsa. Il le fera, dit-il, toute sa vie.

Je le crois.

Je crois aussi qu'il aura du talent.

Saint-Tropez, octobre 1935.

DU MÊME AUTEUR

AU GRAND SOCCO, *roman.*

LE COUP DE GRÂCE, en collaboration avec Maurice Druon, *théâtre.*

LA PISTE FAUVE, *récit.*

LA VALLÉE DES RUBIS, *nouvelles.*

HONG-KONG ET MACAO, *reportage.*

LE LION, *roman.*

LES MAINS DU MIRACLE, *document.*

AVEC LES ALCOOLIQUES ANONYMES, *document.*

LE BATAILLON DU CIEL, *roman.*

DISCOURS DE RÉCEPTION à l'Académie française et réponse de M. André Chamson.

LES CAVALIERS, *roman.*

DES HOMMES, *souvenirs.*

LE PETIT ÂNE BLANC, *roman.*

LES TEMPS SAUVAGES, *roman.*

Traduction

LE MESSIE SANS PEUPLE, par Salomon Poliakov, version française de J. Kessel.

Chez d'autres éditeurs

L'ARMÉE DES OMBRES.

LE PROCÈS DES ENFANTS PERDUS.

NAGAÏKA.

NUITS DE PRINCES *(nouvelle édition).*

LES AMANTS DU TAGE.

FORTUNE CARRÉE *(nouvelle édition).*

TÉMOIN PARMI LES HOMMES.

TOUS N'ÉTAIENT PAS DES ANGES.

POUR L'HONNEUR.

LE COUP DE GRÂCE.

TERRE D'AMOUR ET DE FEU.

ŒUVRES COMPLÈTES.

Impression Bussière à Saint-Amand (Cher),
le 25 novembre 1987.
Dépôt légal : novembre 1987.
1ᵉʳ dépôt légal dans la collection : août 1983.
Numéro d'imprimeur : 2970.

ISBN 2-07-037489-0./Imprimé en France.

42222